いじめ防止法(ぼうしほう)

こどもガイドブック

佐藤香代　三坂彰彦　加藤昌子 著

まえだたつひこ 絵

子どもの未来社

はじめに

こんにちは！　はじめまして。
この本は、弁護士3人で書きました。私たちは、弁護士として、子どもたちが、学校の内外で友だちから「いじめ」を受けたり、家の内外で大人から「児童虐待」を受けたりして、「人権」を傷つけられてしまった時に、いっしょに解決をするお手伝いをしています。

　ところで、みなさんは、「いじめ防止法」（いじめ防止対策推進法）って知っていますか？
　この法律は、2013年に国会議員の人たちが話し合って、いじめから子どもたちを守るためにつくりました。
　2011年、いじめを受けたことに苦しんだ子どもが、自ら亡くなってしまうという悲しい事件がありました。
　そう、いじめは、私たちが元気に幸せに生きていくために欠かせない、大切な大切な「人権」を傷つけてしまうので、いじめがエスカレートすると、生きていく元気もなくなってしまうことがあるのです。
　「いじめ防止法」は、もうそんな悲しいことがくり返されないようにとの思いをこめて、つくられました。

　この本では、第1章で、いじめ防止法に、具体的にどんなことが書かれているのかについて、子どもであるみなさんに向けて、わかりやすく伝えています。
　たとえば、学校の先生や教育委員会は、学校でのいじめを防ぐために、どんな準備をしておかなければいけないの

でしょうか。また、実際にいじめが起きた時には、どんな対応をしなければいけないのでしょうか。

　法律は、このような学校や教育委員会がやるべきことについて、細かく決めています。

　子どもたちに対しても、いじめをしてはいけないとか、まわりでいじめられている子がいたらほうっておかないとか、そういったことを求める条文もあります。

　この法律にどんなことが書いてあるのか、みんなが知っていれば、もしも自分がいじめにあったり、いじめを受けている友だちを助けたいと思ったりした時にも、きっとその知識が役に立つはずです。

　また、いじめには、たくさんの子どもたちがかかわっていますよね。国の調査ではだれもが、「いじめ」をされる側にも、する側にも、まわりで見る側にもなることが指摘されています。

　それぞれの立場になった時、考えていること、感じていること、悩んでいることにちがいがあると思います。

　この本の第３章〜第５章では、それぞれの立場になった子どもたちが登場して、弁護士に自分の思いや悩みを相談して、弁護士が子どもたちに答えています。

　弁護士と子どもたちのやりとりから、自分がもしそうなったらどうだろうかと考えてみることができ、１つでも２つでも何か気づくことがあれば、私たちもとてもうれしいです。

　さあ、いっしょに、いじめについて考えてみましょう。

もくじ

はじめに……… 2

第1章 読んでみよう！ いじめ防止法 …………… 7

第 1 条……… 8	第 2 条……… 10	第 3 条……… 12	第 4 条……… 14
第 5 条……… 15	第 6 条……… 16	第 7 条……… 17	第 8 条……… 18
第 9 条……… 19	第11条……… 20	第12条……… 22	第13条……… 23
第15条……… 24	第16条……… 26	第17条……… 28	第18条……… 29
第19条……… 31	第20条……… 35	第21条……… 36	第22条……… 37
第23条……… 38	第24条……… 42	第25条……… 43	第26条……… 45
第27条……… 46	第28条……… 47		

第2章 「いじめ」と人権・子どもの権利 ………… 53

「人権」ってなに？ …………… 54　　大切な3つの「人権」 ………… 57

コラム 憲法とは …………… 60　　子どもの権利条約とは ………… 65

第3章 「いじめ」を受けたらどうする？ ………… 67

これって、いじめ？ ………… 68　　いじめは人権を傷つける ……… 70

いじめがエスカレートする場合の見分け方 ………………… 75

まわりに助けを求めよう……… 78

コラム これって「遊び」？ それとも「いじめ」？ ………… 70

いじめられるのには理由がある？ ………………… 75

大人に言うのは、いけないこと？ ………………… 77

どんな大人に相談する？ ………… 81　　ためになる情報……… 82

第4章 「いじめ」てしまったらどうする？ ……… 85

エピソード❶ ………86

人のいやがることをしたら無視されてもしかたない？ ……………… 86

言いたいことは伝わっていたのか？ ········· 88

人にいやな思いをさせられたらどうする？ ········· 90

コラム 「わたしメッセージ」を使おう ········· 91

エピソード② ·······93

いやだと言わなければ相手も楽しんでいる？ ········· 94

遊びといじめのちがい ········· 95

だれかをいじめる理由は？ ········· 96

どうやって楽しく生きる力を回復（かいふく）するか？ ········· 97

エピソード③ ·······99

どういうことが「いじめ」にあたるのか？ ········· 102

いじめはどうして起きる？

　　いじめたくなる気持ちが起きるのは？ ········· 103

いじめたくなる気持ちが起きた時、どうするか？ ········· 107

コラム ストレスを感じた時のリラックス法 ········· 109

　　人権（じんけん）が傷（きず）つけられると、

　　　　ほかの人の人権（じんけん）を大切にできなくなる ········· 110

エピソード④ ·······111

相手の方が先に悪いことをした時でも、いじめになる？ ········· 112

相手が先に悪いことをした時はどうしたらいいか？ ········· 114

友だちが他の人にいじめをしている時、

　　自分はどうしたらいい？ ········· 115

第5章　「いじめ」がまわりで起きたらどうする？ ······117

直接いじめられたわけではないけれど……［ノゾミの場合］ ········· 118

いじめはなぜ続いていくんだろう［ツバサの場合］ ········· 121

コラム いじめは、クラスのみんなの人権（じんけん）を傷（きず）つけている ········· 125

　　読んでみよう ········· 130

おわりに（大人のみなさんへ） ········· 132

資料「いじめ防止対策推進法（ぼうしたいさくすいしんほう）」全文 ········· 135

5

この本に登場する人たち

＊いじめ防止法(ぼうしほう)について教えてくれたり、いじめの相談に答えてくれたりする弁護士(べんごし)さんたち。

佐藤香代(さとうかよ)先生　　三坂彰彦(みさかあきひこ)先生　　加藤昌子(かとうまさこ)先生

＊みんなにわかりやすい解説(かいせつ)をしてくれるよ。

＊「いじめ」が起きると出てくるよ。

【注】「いじめ防止法（いじめ防止対策推進法）」の全文は巻末に掲載しています。文部科学省のHPでも読むことができます。

第 1 章

読んでみよう！
いじめ防止法

第1条

目 的

　いじめは、いじめを受けた子どもの「教育を受ける権利」という大切な人権をひどく傷つけ、心や体の成長にも悪い影響を与えます。時には、命の危険に発展する場合もあります。

　だから、この法律では、子どもたちの尊厳を守るために、いじめを防止するための取り組みについて、基本的な考え方を示しました。

　また、いじめの防止のために、国や地方公共団体が責任を負っていることをはっきりさせて、いじめを防止するための取り組みの内容についても、基本的な方針や内容を決めました。

　この法律の役割は、このようなことを通じて、いじめの防止のための対策が十分に役立つものにすることです。

> 先生も大人も国も地方公共団体も、
> 協力して
> いじめをなくさなくてはならない

　この法律は、2013年にできたんだ。
　2011年に中学生の男の子が、いじめられたことが原因で自殺した。
　このつらい出来事が起こったあと、政治家たちは、二度とこんなことが起こらないようにしなければいけないと決心した。そして、学校にかかわる先生や大人たちがしなければいけないことをはっきりさせて、みんなでいじめが起こらないように取り組んでいくことになった。
　そして、この法律が誕生したってわけだ。（「地方公共団体」については16ページを見てね）

法律ってなんだろう？

　法律はその国に住んでいる人たちができること、守らなければならないことについて定めている。たとえば刑法では、だれかの持ち物をぬすんだり、傷つけたり殺したりなどを犯罪として、罰を与えることになっている。
　みんなが法律を守れば、安心していっしょに社会で暮らすことができる。でも、法律はみんなの暮らしを縛るという面もあるから、国の選挙で選ばれた国会議員たちが、「国会」でだけ作ることができるんだ。この本で紹介する「いじめ防止対策推進法」もそんな法律の1つなんだよ。

第2条1項

いじめの定義

　この法律では、「いじめ」とは、ある子どもに対して、同じ学校に通っていたりなど、かかわりのある他の子どもたちが行う、心や体に影響を与える行為で、それらの行為によって、対象となった子どもが心や体に苦しさや痛みを感じているものを言います。

　行為の中には、スマートフォンやインターネットを使ってする場合も含まれます。

いじめってなんだ？

みんなが考える「いじめ」は、強い子が弱い子に、一度ではなく何度もいやがることをしたり、大勢が1人を傷つけたりするイメージじゃないかな？

でも、法律をつくる時に「いじめ」の定義を「強い子が弱い子に」とか、「何度も」とか具体的に決めてしまうと、「こっちだけがやったんじゃない。やり返されたこともある」とか、「1回だけしかやってないよ」などと言われた時、「それなら、いじめとは言えないな」となってしまうかもしれない。

だから法律では、いじめられた子が「いやだな、つらいな、苦しいな」と感じたなら、それはみんな「いじめ」だと定めたんだ。いじめられた子の心が傷つき、つらい思いをしているなら、すぐに対応したほうがいい。そのために「いじめ」をなるべく広く考えたんだ。

とくに次にあげる2つの場合は、すぐに、大人やまわりの友だちに相談したほうがいい。

1 あなたがつらい思いをしていることを、相手にこわくて言えない。

2 あなたがいやだと伝えても、相手はきいてくれない（いじめが止まらない）。

こうなると、自分の力で解決するのはむずかしくて、ほうっておくと、さらにいじめがエスカレートしていく危険があるんだ。

第3条

基本理念

1. いじめは、すべての子どもたちに関係する問題です。だから、いじめの防止に向けた対策は、子どもたちが安心して勉強やそのほかの活動に取り組むことができるように、学校の中でも外でもいじめがなくなるようにすることを目指します。

2. いじめの防止に向けた対策は、すべての子どもがいじめをしないこと、そして、ほかの子どもがいじめられている時に見て見ないふりをしないことを目指します。そのために、子どもたちが、いじめが心や体にどのような影響を与えるのかなど、いじめの問題について、理解を深められるようにすることを目指します。

3. いじめの防止に向けた対策では、いじめを受けた子どもの命、そして心と体を守ることが特に重要です。そのために、国や自治体、学校や地域の人びと、家庭など、関係する大人たちが力を合わせて、いじめの問題を克服することを目指さなければなりません。

> 子どもはいじめについて理解する。
> 学校の中でも外でも、大人は
> 力を合わせていじめをなくす！

1章 読んでみよう！ いじめ防止法

　いじめは、学校の中だけで行われるわけじゃないよね。当然、学校の外で行われるいじめもなくしていかなくてはならない。

　いじめが心や体にどのようなダメージを与えるか、子どもたち自身がちゃんと理解しておくことが必要だ。そうすれば、軽い気持ちで友だちをいじめたり、いじめを見て見ないふりをしたりすることも減るだろう。あなたたち自身が問題を理解をするのは、とても大事なことなんだよ。

　それでも、いじめが起きた時には、国や町、学校や施設の職員、家族や近所の人たちなど、子どもに関係する大人たちが力を合わせなければならない。いじめを受けた子どもが、自ら命を落としたりしないように、心と体のケアをしっかりするためにも、大人たちが協力しあってしっかり取り組む責任があるんだ。

第4条

いじめの禁止

子どもたちは、いじめをしてはいけません。

もし、いじめをしてしまったら？

いじめをしてはいけない。法律でそう決められている。

でも、2条のいじめの定義で、「いじめ」は広くとらえられていると伝えたよね。あなたが、うっかりやってしまったことが、「いじめだ！」と責められた場合、どうしたらいいんだろう。だれだって、思いもよらずに相手を傷つけてしまうことはあるよね。そうなったら、あなたは「いじめ」の加害者？　そう考えると、ちょっとこわいよね。

そこで2条の「いじめ」にあたることをしてしまった場合でも、ぜんぶの「いじめ」が犯罪になったり、訴えられたりするわけではないんだ。

でもね、刑罰の対象になる場合もあるんだよ。たとえば、暴力をふるって相手にケガをさせたら「傷害罪」（刑法204条）、相手の持ち物を取ったら「窃盗罪」（刑法235条）、相手の持ち物をこわしたら「器物損壊罪」（刑法261条）。スマートフォンやインターネットを使って、相手の悪口を書きこんだら「名誉棄損罪」（刑法230条）。

それに、相手が「いじめ」のために病院に行かなくてはならなくなったり、自分の持ち物を買い替えなくてはならなくなったりしたら、お金で弁償しなければならない。

第5条

国の責務

　国は、基本理念に従って、全体として1つにまとまって、いじめを防止するための対策をつくり、それを実際に実行する責任があります。

国がいじめ対策を1つにまとめなければならない

　いじめ防止対策には、学校に関係する文部科学省だけではなく、警察庁や、自殺を防止するための取り組みをしている厚生労働省など、国のいろんな機関や組織がかかわっているんだ。

　こうした機関や組織がばらばらにいじめ対策をすると、やり方もちがって足並みもそろわない。だから、1つにまとまって取り組むように、国が責任をもつことになっているんだ。

第6条

地方公共団体の責務

地方公共団体は、基本理念に従って、国と協力をしながら、各地の状況にあったいじめを防止するための対策をつくり、それを実際に実行する責任があります。

> それぞれ地域にあった
> いじめ防止をしなければならない

地方公共団体も、いじめを防止するための対策を取る責任があるんだ。地方公共団体っていうのは、都道府県や市区町村などの行政機関のことだよ。そこに住んでいる人たちが、安心安全な毎日を送れるようにサポートをすることが大切な仕事だ。

でも、地域ではそれぞれ状況がちがうことがあるよね。たとえば、大きな学校が多いとか、ぎゃくに学年に1クラスしかない学校が多いなど。だから、その状況をふまえて、地方公共団体は、国と力を合わせていじめ防止の対策を考えて、実行する責任があるってことだよ。

第7条

学校の設置者の責務

学校を設置している地方公共団体や学校法人は、基本理念に従って、自分たちが設置する学校のいじめ防止のために必要な対応をする責任があります。

学校をつくった人にも いじめ防止の責任がある

あなたの学校をつくった人は、だれ？ 校長先生？ 国？ それとも県？

学校によってちがうけれど、公立ならそれぞれの地方公共団体だったり、私立なら学校法人だったりするよ。

いじめを防止するのは、ふだん学校にいる先生たちだけじゃなくて、学校をつくった地方公共団体や学校法人にも責任があるってことだ。(「学校の設置者」については42ページを見てね)

第8条

学校及び学校の教職員の責務

　学校と学校の先生は、この法律の基本理念に従って、子どもたちの親や地域の人、児童相談所などの関係者とも協力して、学校全体で、いじめの防止や早期発見に取り組みます。

　また、学校内で子どもがいじめを受けているかもしれないと思ったら、すばやく、対応する義務があります。

先生たちは協力してすばやく行動する

　先生だって、1人でなんでもできるわけではないよね。とくに、いじめが起こった時は、ほかの先生に相談して、どうしたらよいか、協力しあうことが解決の力になるんだ。

　たった1人で解決しなければならないとしたら、先生だってつらい。たいへんだからいじめを見なかったことにしよう、なんて思ったりすることもないとは言えない……。

　だから、学校の先生は協力しあっていじめに取り組むってことを、法律にもちゃんと書いたんだ。いじめを見つけた先生は、すぐにほかの先生にも伝えて、学校の先生たちはチームになって、いじめに対応しなければならない。

　そして、力を貸してくれる親や、地域の人、児童相談所など、学校の外の人たちとも協力して、すばやく対応することが、いじめ問題には必要なんだね。

第9条

保護者の責務等

1 保護者は、子どもの教育について一番重い責任を負っています。だから、家の中でも、自分が保護する子どもがいじめをしないように指導をしなくてはなりません。

2 保護者は、自分が保護する子どもがいじめを受けた場合には、しっかりと、いじめから守らないとなりません。

3 保護者は、国や地方公共団体、学校の設置者や学校が実施するいじめ防止のための取り組みに協力しなくてはなりません。

> いじめた場合もいじめられた場合も
> 保護者は立ち上がる

保護者というのは、子どものあなたを保護する人のことをさすよ。子どものうちは、働けないし、できないこともいろいろあるよね。そういう子どもを守って、着るもの、食べるもの、住む場所を、責任をもって用意して、安全に暮らせるようにする人が保護者だ。親の場合もあるし、祖父母や、「後見人」と呼ばれる人のこともあるよ。だから、あなたの保護者は、あなたがいじめをしないように教えなければならないし、いじめられた場合は守らなければならない。そして、いじめ防止の取り組みにも協力しなければならないんだ。

第11条

いじめ防止基本方針

1　文部科学大臣は、いじめに関係する行政機関のリーダーと協力して、いじめの防止に向けて、1つにまとまった、役に立つ対策を進めていくための基本的な方針を決めなくてはなりません。これを、「いじめ防止基本方針」と呼びます。

2　いじめ防止基本方針では、次の3つのことを定めます。
　①いじめ防止のための対策を、どのような「方向」で進めていくか。
　②いじめ防止のための対策を、どのような「内容」で進めていくか。
　③そのほかに、いじめ防止のための対策をするうえで、大切なこと。

基本方針では3つのことを定める

　基本方針を国として1つにまとめて、いじめ防止に取り組むことになった。それをつくるのは、教育や文化・科学に関することを扱う文部科学省の文部科学大臣だ。でも、大臣と文部科学省だけでつくるのではなく、ほかの行政機関と力を合わせてつくることになっているよ。

　すでに、いじめ防止の基本方針は2017年につくられていて、文部科学省のホームページから見られるようになっている。この基本方針を参考にして、地方公共団体や学校はそれぞれ、いじめ防止の基本方針をつくることになっているんだ。

　基本方針は3つの柱からできている。

　1つ目は、いじめ防止のための基本的な考え方や方向性だ。たとえば、「そもそもどんなことが『いじめ』なのか」という定義や、「いじめを防止するためには、どんなことに注意する必要があるのか」といった、防止のポイントなどだ。

　2つ目は、どうやっていじめの調査をしたり、いじめを防いだりするかの具体的な方法について書かれている。

　3つ目には、1つ目と2つ目には入らないけれど、いじめを防止するために大切なことが書いてあるよ。

いじめ防止等のための
基本的な方針のQRコード
平成25年10月11日　文部科学大臣決定
(最終改定　平成29年3月14日)

第12条

地方いじめ防止基本方針

地方公共団体は、国のいじめ防止基本方針を参考にして、それぞれの地域の事情に合わせて、その地域に関する、いじめ防止基本方針を定めるように努力しなくてはなりません。これを「地方いじめ防止基本方針」と呼びます。

地方公共団体は基本方針をつくる 努力しなくてはならない

文部科学大臣には、国としていじめ防止の基本方針をつくる責任があったね。地方公共団体は、この基本方針を参考にしながら、それぞれいじめ防止の基本方針をつくるように「努力する」ことになっている。なぜかというと、地方公共団体には大きいところも小さいところもあるし、いろいろな事情ですぐにつくれない場合もあるからだ。

でも、国が定める基本方針を参考にして、それぞれの地域がかかえる状況や、子どもたちのようすを反映させた方針は必要だよね。それぞれの地域に合ったものができるといいね。

きみの住んでいる地域には？

きみの住んでいる市や県の「地方いじめ防止基本方針」を調べてみよう。「○○市」「いじめ防止基本方針」などの言葉で検索すると、基本方針がつくられていれば、地方公共団体のホームページで公開されているはずだよ。どんな内容か読んでみよう。

第13条

学校いじめ防止基本方針

　学校は、国のいじめ防止基本方針や地方いじめ防止基本方針を参考にして、それぞれの学校の事情に合わせて、その学校に関する、いじめ防止基本方針を定めなくてはなりません。これを、「学校いじめ防止基本方針」と呼びます。

1章 読んでみよう！　いじめ防止法

学校は基本方針をつくらなくてはならない！

　地方公共団体には、基本方針をつくる努力をしなくてはならないとなっているけれど、学校に対しては「かならずつくるように」と言っている。学校にはつくる責任があるということだ。なぜなら、学校にはいじめを防止するための重要な役割があるからだね。公立でも私立でもすべての学校は、国のいじめ防止基本方針や地方いじめ防止基本方針を参考にして、学校ごとのいじめ防止基本方針をつくらなくてはならない。だから、あなたの学校にも学校の基本方針があるはずだよ。

「学校」がつくるって、だれがつくるの？

　実際には、学校の基本方針をつくるのはだれだろう。
　「学校」と聞くと校舎が思いうかぶけど、建物は基本方針なんてつくってはくれない。あたりまえだ。じゃあ、校長先生？　学校の先生たち？　この法律には「学校」という言葉が何度も出てくるけど、それぞれ差している内容がちがうんだ。学校のいじめ防止基本方針をつくる人は校長先生のことだと考えられている。校長先生、よろしくお願いします！

第15条

学校におけるいじめの防止

1 いじめが起きないようにするためには、子どもたちの感情や道徳心を育てて、他の人と心を通わせてコミュニケーションできる力を身につけることが大切です。学校の設置者や学校は、子どもたちがこうした力や資質を身につけられるよう、学校での活動をとおして道徳を学んだり、さまざまな体験ができる機会を増やさなければなりません。

2 学校の設置者や学校は、いじめが起きないように、保護者や地域の人たち、その他の関係者と協力しながら、次のような取り組みをしなければなりません。
①子どもたちが自主的にいじめ防止のための取り組みをする時は、その活動を支援する取り組み
②子ども、保護者、学校の先生たちが、いじめ防止の大切さを理解するための取り組み
③その他の必要な取り組み

いじめを起こさせないために
学校はなにをする？

いじめを起こさせないために、学校と学校設置者にはなにができるのかな？

ふだんの学校の学びの中に、人の気持ちを思いやったり、尊重したり、自分と考えのちがう人とどうコミュニケーションをとるかなどが入っているといいよね。それから、知識として「いじめはだめ！」と学ぶだけじゃなくて、いろいろな経験ができる機会も増やしてもらうのがいい。

そして、子どもたち自身が、いじめが起きないように、なにか取り組みをしようとしたら、保護者や地域の人たちと協力して、その活動を応援しなければならないんだ。

それに、子どもたちだけではなくて、保護者や地域の人たち、もちろん先生たちにも、「いじめを防止することが大切だ」と理解してもらわなければならない。だから、学校やその設置者は、そのために必要な取り組みをすることになっているんだ。

地域の人たちってだれのこと？

いじめが起きないようにするために地域の人たちとの協力が必要っていうけど、地域の人たちってだれのことなのかな？

たとえば、学童の先生たち、地域のサッカーチームや野球チームの人たち、子ども食堂やフリースクールの人たちなどのことだよ。地域の人たちもいじめ防止の大切さを理解して、活動に協力してくれたら安心だよね。

1章　読んでみよう！　いじめ防止法

25

第16条

いじめを早期に発見するためにしなければならないこと

1. 学校の設置者と学校は、いじめを早期に発見するために、子どもたちに対して定期的な調査を行うなど、必要な対応をしなければなりません。

2. 国と地方公共団体は、いじめの通報や相談を受けるための体制づくりをしなければなりません。

3. 学校の設置者と学校は、子どもたちや保護者、そして、先生や職員が、いじめについて相談できる仕組みを整えなければなりません。

4. 学校の設置者と学校は、相談のための仕組みを整える時には、家庭や地域と協力して、いじめを受けた子どもの教育を受ける権利やその他の権利がきちんと守られるように配慮しなければなりません。

いじめを早めに発見するために学校はなにをする？

学校や学校設置者は、いじめを早めに発見するためにできることをしなければならないんだ。たとえば、いじめが起こっていないか、定期的に子どもたちに調査するのもひとつの方法だよ。

あわせて、子どもたちや保護者、先生や職員たちが、いじめについて相談できる場所をちゃんと用意しておく必要がある。

でも、相談したせいで、よけいいじめがひどくなって学校に通えなくなったり、いじめを見つけたと知らせたら、しかえしに今度はその子がいじめられたりしたら、安心して相談できないよね。

だから、たとえば、いじめられている子が相談したら、まずその子が安心して学校に通えるような体制をつくってからいじめの調査を始めるとか、いじめを知らせても、だれが言ったのかわからないようにするなどの方法を考えて、子どもたちの権利が守られるようにしておかなければならないんだ。

そして、学校や学校設置者だけではなく、国や地方公共団体も、いつでもだれでも、いじめをうったえたり、いじめの相談ができる窓口をしっかりつくっておかなくてはならないんだ。

第17条

関係する機関との連携

　国や地方公共団体は、いじめを受けた子どもやその保護者に対する支援や、いじめをした子や保護者への指導・助言などが、関係者が協力し合って適切に行われるように、行政機関の協力体制や、学校、家庭、地域社会や民間団体の間の協力体制を強化しなければなりません。

　また、民間団体を支援したり、その他の必要な体制の整備をしなければなりません。

協力できるしくみを
つくって応援する

　いじめを防止したり、いじめを早めに発見してすばやく対応するには、学校、家庭、場合によっては、自治体や民間団体の協力が必要になる。だから、国や地方公共団体は、みんなが協力していじめ問題の対応がうまくすすむようにしておかなくてはならないんだ。前もって協力体制をつくっておくということだね。

　また、フリースクールなどの居場所づくりをしているNPOなど、いろいろな民間団体と協力したり、活動の支援をしたりしなければならないんだ。いじめ問題に取り組む人や団体が、しっかり協力しあうほど力を発揮できるからね。

第18条

いじめの防止等のための対策に関わる人材の確保と資質の向上

1　国と地方公共団体は、いじめを受けた子どもやその保護者に対する支援や、いじめをした子や保護者への指導・助言などが専門的な知識に基づいて適切に行われるようにしなければなりません。たとえば次のような対応です。

- 先生に対し研修などを行い、いじめを早期に発見し適切に対応できる能力を身につけさせる。
- 先生や養護教員の配置に工夫したり、心理や福祉の専門家でいじめについて相談に応じられる人を確保して、生徒指導に関する体制を充実させる。
- いじめへの対処について学校に来て助言ができる人を確保する。

2　学校設置者と学校は、研修を通じて先生や職員のいじめの防止、早期発見、いじめへの対処に関する能力を高める取り組みを計画的に行わなければなりません。

第18条　いじめの防止等のための対策に関わる人材の確保と資質の向上

> # 先生も勉強しなければならない

　国と地方公共団体は、いじめを防止するために、いじめを早く見つけるために、そしていじめに適切に対応するために、先生たちが研修などを受けて力をつけられるようにしなくてはならないんだ。

　あわせて、スクールカウンセラーやスクールソーシャルワーカーなどの、必要なアドバイスができる専門家を学校に呼んだり、いじめ問題に対応するチームに養護の先生に入ってもらうなどのくふうをしなければならないんだよ。

　また、学校設置者と学校は、先生や職員が研修を受けられるように、計画をたてて実行しなければならない。

第19条

インターネットを通じて行われるいじめに対する対策の推進

1. インターネットを通じて発信される情報は、流通性が高いことや匿名で発信できるという特徴があります。こうした特殊性をふまえて、学校の設置者と学校は、インターネットを通じたいじめを防止し、いじめがあった場合に効果的に対処するために必要な情報を、子どもや保護者に提供して、理解を促す活動をしなければなりません。

2. 国と地方公共団体は、子どもたちがネットいじめに巻きこまれていないかどうかを監視する機関や団体の取り組みを支援し、インターネットを通じて行われるいじめに対処するための体制を整えるよう努力をしなければなりません。

3. インターネットを通じたいじめを受けた子どもや保護者が、いじめに関する情報の削除を求めたり、情報を発信した人に関する情報開示を請求したりする法的手続きをとる場合は、必要に応じて法務局や地方法務局の協力を求めることができます。

ネットいじめの防止や対応にも準備が必要！

　ネットの掲示板やチャットなんかに悪口を書かれたり、人に知られたくない情報を流されたりした時は、一瞬でたくさんの人に広まってしまうよね。それに、だれが書いたのかわからない場合もあって、対応もむずかしいという例がたくさんあるんだよ。
　そこで、学校の設置者や学校は、ネットいじめの特徴や対応などについて、子どもたちや保護者が学ぶ機会を用意しなければならないんだ。国や地方公共団体は、ネットいじめを監視する機関や団体を支援して、ネットいじめに対応できる体制を整える努力をしなければならない。
　もし、ネットいじめを受けた人が、掲示板の運営者などに対して、削除してほしい、だれが発信したのか教えてほしいと思って手続きをする時は、法務局＊に協力を求めることができるんだ。

＊法務省の組織の1つで、登記や戸籍・国籍などの身分や財産を保護する業務、国の利益に関係する訴訟活動、人権擁護事務などを行う。全国を8の地域に分けて法務局が設置され、その下に都道府県単位で地方法務局が設置されている。

第19条　インターネットを通じて行われるいじめに対する対策の推進

ネットいじめにあったらどうする？

　ネットいじめには、次のようにいろいろな形態がある。
①SNS上の掲示板やブログに悪口やプライバシー情報を書きこまれる
②いじめられている動画や裸の写真を撮られて、動画配信サイトやブログにアップされる
③他人が自分の名義のアカウントを作成して（なりすまし）虚偽の情報や第三者のプライバシー情報を流す
④SNSのグループから外される

　こうしたいじめにあったら、まずは、書きこみや動画、掲示板等のURLがわかる画面を印刷したり、スクリーンショットしたりして、それを見せて保護者や信頼できる先生に相談しよう。

　アップされた書きこみや写真・動画などを削除する必要もあるけれど、やり方によってはかえって情報が広まる危険性もあるから、けっして1人でやらないで大人に相談しよう。次にあげる窓口に相談して、いっしょに対応してもらうといい。

[相談窓口]

★ **法務局インターネット人権相談受付窓口**
　https://www.moj.go.jp/JINKEN/jinken113.html

★ **法務省こどもの人権110番**
　0120-007-110
　（平日午前8時30分〜午後5時15分）

★ **東京弁護士会子どもの人権110番**
　03-3503-0110　（平日午後1時30分〜午後4時30分、午後5時〜午後8時、土曜日 午後1時〜午後4時）

★ **違法・有害情報相談センター**
　https://ihaho.jp/

　ネットいじめは、だれが発信したかわからない場合もある。そんな時は、裁判所で手続きをして、だれが発信したかを教えてもらえる方法がある（これを「発信者情報開示請求」という）。でも、この手続きには時間もお金もかかるし、手続きをしても必ず発信した人がわかるというわけではないんだ。だから、学校の先生たちに相談をして、きちんといじめとして対応してもらうことが大切なんだよ。

第19条　インターネットを通じて行われるいじめに対する対策の推進

知らないうちにいじめをしている？

　クラスのLINEグループで、だれかの悪口が書きこまれたら、既読スルーだと言われないように、「だよね〜」とか「あるある」なんて、同調するメッセージを送ってないかな？

　でもちょっと考えてみて。もし、クラスのみんながそういうメッセージをいっせいに送ったら、悪口を言われた人はどう思う？自分はきらわれている、のけ者にされているって感じるんじゃないかな。

　こんなふうに、きみが「なんとなくやった」「いじめるつもりはなかった」という行動でも、「いじめ」になってしまうことがある。それに発言の内容によっては、名誉棄損罪や侮辱罪にあたる場合だってあるんだよ。

　友だちがいじめられている動画や友だちの裸の写真が送られてきて、拡散するように言われて、身近な友だちに送るだけならいいか、なんて軽い「ノリ」で転送したらどうなるだろう？　それを受け取った友だちが、また別の友だちや知り合いに転送して、まったく知らない人にまで一気に広がってしまうことだってあるんだ。インターネット上で一度拡散された動画や写真は世界のどこにのこっているかわからないから削除しようがなくなる。

　それに、転送した動画や写真の内容によっては、きみのやったことは、わいせつ物頒布罪や児童ポルノ禁止法（児童買春・児童ポルノに係る行為等の処罰及び児童の保護等に関する法律）違反にあたることだってあるんだよ。

　だから、自分が何を発信して、それがだれにどのような影響を及ぼすかを考えなければならないんだ。指を動かす前にね。

第20条

いじめ防止などのための対策の調査研究の推進

　国と地方公共団体は、どうすればいじめを防止し、早期に発見できるか、いじめを受けた人とその保護者に対する支援や、いじめを行った人に対する指導とその保護者に対する助言はどのように行うのがよいか、インターネットを通じたいじめにはどのように対応すべきかなど、いじめの防止やいじめへの対応について調査研究や検証を行い、その成果を社会に広めなければなりません。

いじめの調査や研究をして広く知らせる

　国や地方公共団体は、いじめ問題への対応を学校まかせにしないで、つねにいじめに関する調査や研究などを行い、その結果を広く社会に知らせなければならないんだ。いじめの防止やいじめの対応で効果があがっている地域の取り組みを全国に知らせれば、他の地域の先生たちも参考にできるからだよ。

第21条

啓発活動

国と地方公共団体は、いじめが子どもの心身にどのような影響を与えるか、いじめを防止することがどれだけ重要かということを広く社会に伝え、いじめの相談体制や救済制度について知らせる活動をしなければなりません。

いじめ防止の重要さを広く伝える

国と地方公共団体は、いじめが子どもに与える影響や、いじめを防止することの大切さ、そして、どこへ相談するか、どんなふうに助けてもらえるかなどの情報を、広く知らせておかなければならないってことだ。

だって、いじめは、いじめを受けている子の心と体に大きな傷を残し、学ぶ場や、生命さえもうばうことだってあるし、また、いじめている子もそれを見ている子もやっぱり心身に影響がでる。つまりいじめは、ほぼすべての子どもにとって重大な問題なんだってこと。そして、もしもの時にはどこへ相談して、どうすればいいかを知っておくことも、とても大事だからだよ。

第22条

学校におけるいじめの防止等の対策のための組織

学校は、自分の学校内のいじめの防止に向けた取り組みを、実際に役立つように行うために、学校の中に、複数の教員と、心理や福祉に専門的な知識をもっている人などが参加した、いじめの防止の対策のための組織をつくらなくてはなりません。

学校は専門家を入れた いじめ防止対策チームをつくる

いじめを防止するために、学校は組織をつくらなくてはならない。その組織は、いじめが起きてから動きだすんじゃなくて、いじめが起きないようにふだんから活動していなくてはならないんだ。

メンバーは、先生1人だけではなく、何人もの先生が参加すること、学校の外からも心理の専門家（スクールカウンセラー）や福祉の専門家（スクールソーシャルワーカー）に加わってもらうこと。つまり、いじめ防止対策をする総合チームになるのがいい。

第23条

いじめに対する措置

1　学校の教師や保護者など、子どもから相談を受ける立場にある大人は、子どもからいじめに関する相談を受けて、いじめの事実があるかもしれないと思ったら、その子どもが通っている学校に通報するなど、適切な対応をしなくてはなりません。

2　学校は、いじめの相談を受けた大人から通報があったりして、自分の学校の子どもがいじめを受けているかもしれないと思ったら、速やかに、その子どもに関するいじめがあるのかどうか、確認するための取り組みをする必要があります。そして、その結果を学校の設置者にも報告しなくてはなりません。

3　学校は、いじめがあったことを確認した場合、そのいじめを止めさせ、またくり返されることのないように、複数の教員で、心理や福祉の専門家の力も借りて、いじめを受けた子どもやその保護者の支援をしなくてはなりません。また、いじめをした子どもへの指導や、その保護者への助言も必要です。こうした活動は、継続的に行わなくてはなりません。

4　学校は、やむをえないと判断した場合は、いじめをした子どもをいつもの教室以外の場所で勉強をさせるなどをして、いじめを受けた子どもが安心して教育を受けられるように、必要な取り組みをしなくてはなりません。

5 学校は、いじめを受けた子ども・保護者への支援や、いじめをした子ども・保護者への指導・助言をする時に、あとから争いが起きないように、それぞれの保護者に、いじめに関する情報をきちんと伝えるなど、必要な取り組みをしなくてはなりません。

6 学校は、いじめが、犯罪にもなるような場合には、地元の警察とも協力して対応しなくてはなりません。子どもの命や身体、財産に大きな被害が出ると思われる時には、地元の警察に通報して、力を借りる必要があります。

「支援」と「指導」のちがいは？

　今まで、いじめられた子は、「いじめ」と認めてもらえなかったり、いじめっ子がいる学校に通えなくなったりする場合もあった。だからこの法律では、いじめられた子の権利を守ることを第1に考えて、いじめられた子には「支援」、いじめた子には「指導」をすることにした。
　でも、ちょっと考えてみて。いじめていた子がいじめられる側になる場合もあるし、いじめられていた子が次にいじめる側にまわる場合だってあるよね。だから、「支援」と「指導」と言っても、かんたんには分けられないかもしれないね。

> いじめが起こった時、
> どう対応するのか

　23条には、いじめが起こった時、大人（親、保護者、教師など）や学校がどうしたらよいかという、大事なことがまとめられているよ。

- いじめの相談を受けた大人は、学校に知らせるなどの適切な対応をしなくてはならない。いじめが「起こっているかもしれない」時はすぐ通報する、ということだよ。本当にいじめが起こっているかを調べるには時間がかかる。でも、いじめは早く見つけて対応するのが大事だから、本当かどうかはさておき、相談を受けたらすぐ対応することにしたんだ。大人のみなさん、よろしくお願いします。

- 学校は、いじめが起こっているかもしれないとなったら、すぐ、いじめについて調べて、確認しなければならない。その調査結果は「学校の設置者」に報告しないとならない。（「学校の設置者」については42ページを見てね）

- 学校は、いじめを確認したら、いじめられた子やその親（保護者）に支援、いじめた子やその親（保護者）に指導・助言をしなければならない。いじめをやめさせて、くり返し起こらないようにするためだよ。1人の先生だけでなく、何人かの先生や専門家の力も借りることになっている。

第23条 いじめに対する措置

1章 読んでみよう！ いじめ防止法

● 学校は、いじめを受けた子が安心して勉強できるようにしなければならない。つらい思いをして、学校に行くのがこわいと思っているかもしれない子に、安心して勉強ができる環境をつくる1つの例として、いじめた子に別の教室で勉強してもらうという方法もあげられている。

安心して教育が受けられるための措置って？

　1つの例として、いじめた子に別の教室で勉強してもらうことがあげられているけれど、もし、いじめた子と仲のいい友だちから、「きみのせいで別の教室に行かされたんだぞ」と責められたりしたら、やっぱり安心して勉強できないんじゃないかな。どうすれば安心して勉強できるようになるか、いじめられた子の意見も聞いたほうがいいし、いじめた子を別室に分けることがよいのかどうかは、慎重に考えて決められるべきなんだ。

● 学校は、いじめられた子の親（保護者）といじめをした子の親（保護者）の両方に、いじめについてわかっている情報をきちんと伝えなければならない。そうしないと、「うちの子はいじめていない」「うちの子はひどい目にあった」などと意見が分かれて、大人どうしで言い争いになることもあるからだ。学校が、状況をそれぞれの親（保護者）にはっきりと伝えれば、こういうことは起こりにくくなる。

● 学校は、犯罪になるようないじめで、いじめをする子どもに必要な指導をしているのに効果がなかったり、学校だけではいじめられている子どもを守るのむずかしかったりする時には、地元の警察に相談して対応しなければならない。子どもの命や体、財産に大きな被害が出そうなら、すぐに警察署に通報する必要がある。（14ページも見てね）

41

第24条

学校の設置者による措置

学校の設置者は、学校からいじめに関する調査の結果の報告を受けた時には、必要があれば、その学校をサポートしたり、学校がするべきことを指示したり、そのいじめについて、学校の設置者が自分でも調査をしなくてはなりません。

学校の設置者にも責任がある！

いじめが起きた時、もし、先生がいじめだとみとめなかったらどうする？　先生たちがいそがしくて、いじめの調査がすすまなかったらどうする？

そんな時は、学校の設置者の出番だ。子どもたちへのサポートや、調査に取り組むように先生たちに指示を出したり、いじめの調査に自分自身が加わることも必要になるかもしれない。スクールカウンセラーなどの専門家に応援をたのんだり、そのために必要なお金を出したりすることも考える責任があるんだ。

キーワード　▶　学校の設置者

学校をつくって、管理している組織のことで、学校の活動を運営するためのお金を出している。公立の学校であれば、土地や建物は地方公共団体のものだし、地方公共団体の中にある教育委員会が学校を管理している。つまり、公立の場合「学校の設置者」は地方公共団体の教育委員会になる。

私立の場合は、その学校をつくり、管理している「学校法人」だ。

第25条

校長及び教員による懲戒

校長や教員は、子どもがいじめをしている場合で、その子どもを教育するために必要がある場合には、学校教育法11条にしたがって、適切に懲戒をするようにしなくてはなりません。

子どもへの「懲戒」ってなに？

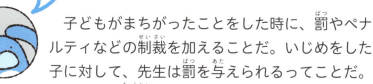

子どもがまちがったことをした時に、罰やペナルティなどの制裁を加えることだ。いじめをした子に対して、先生は罰を与えられるってことだ。でも、子どもにとって懲戒はつらいものだし、子どもの教育のために行われるのだから、法律にしたがって、法律の範囲でしか行ってはいけないと決められているんだ。その法律とは、学校教育法11条だよ。

キーワード　学校教育法11条と懲戒

学校教育法11条には、「校長及び教員は、教育上必要があると認める時は、文部科学大臣の定めるところにより、児童、生徒及び学生に懲戒を加えることができる。ただし、体罰を加えることはできない」と定められている。具体的には「退学」「停学」「訓告」になったり、それ以外には、教師が問題を起こした子どもを呼びだしてしかったり、反省文を書かせたり、宿題を増やしたりすることなどがある。懲戒は、子どもたちの教育に必要がある場合に行えるが、「体罰」だけはどんな時も許されない。教育に暴力が役立つことはぜったいにないし、子どもたちの人権（安心安全に教育を受ける権利など）をおびやかすことにもなる。

1章　読んでみよう！　いじめ防止法

第25条　校長及び教員による懲戒方針

「いじめ」で退学？

　児童・生徒が学校で問題行動を起こしてしまった時、先生が本人に反省してもらうために行う罰（こらしめ）のことを「懲戒」と言って、その中に「訓告」（言葉で注意する）や「停学」（一定の期間、学校での授業を受けさせない）、「退学」などがある。

　退学処分を受けると、児童・生徒は学校をやめなければいけなくなるから、懲戒の中でも一番きびしい処分だ。ただし、退学処分は、私立の小中学校では認められているけど、公立の小中学校では許されていない。公立の場合は高校以上で認められているんだ。

　いじめ防止法25条で、子どもが「いじめ」をした時も「懲戒」が行われることがあると紹介したけれど、実際に「いじめ」をしたという理由で子どもに「懲戒」が行われたり、一番きびしい退退学処分が行われることもあるんだ。

　ただ、退学処分を出す場合には、裁判所は以下のような条件を出している。問題行動をした子どもに、反省してもらうための指導を学校がきちんと行ったのに、それでも本人に反省がみられず、学校で指導を続けていくことがむずかしく、学校をやめてもらうしかないという場合にかぎって認められる、としているんだ。

　この裁判所の出した条件から考えると、相手のことを苦しめたりするつもりがなかったり、他の子がSNSで書いた悪口に１回「いいね」と送っただけなどの場合は、たとえ法律で「いじめ」にあたっても、退学処分は「行き過ぎ」として認められない可能性が高いと言えるんだよ。

キーワード　義務教育

　日本では、小学校・中学校の9年間が義務教育にあたる。日本の国民はみんな教育を受ける権利が保障されているし、保護者には子どもに教育を受けさせる義務があるんだ（日本国憲法26条）。

第26条

出席停止制度の適切な運用等

市町村の教育委員会は、いじめを行った子どもの保護者に対して、学校教育法35条1項にしたがって、子どもを出席停止させるなど、いじめを受けた子どもやまわりの子どもたちが安心して教育を受けられるようにするために必要な取り組みをしなくてはなりません。

> ほとんど使われていない「出席停止制度」

小・中学生は「義務教育」を受けている年齢なので、学校で教育を受けることが大事にされている。だから「停学処分」にはできないんだ。

でも、ひどいいじめっ子がいるせいで、子どもたちや先生がつらい思いをしたり、学校の物がこわされたり、じゃまされて授業がすすまなかったりするなら、その子どもの保護者に対して、「学校に来させないで」と命令することはできる。

これは「出席停止制度」で、公立の小・中学校のための制度だよ。ただ、ほとんど使われてはいないんだけどね。

第27条

学校相互間の連携協力体制の整備

地方公共団体は、いじめられた子と、いじめをした子が、同じ学校ではない場合であっても、ちゃんと、いじめられた子や保護者への支援、いじめをした子や保護者への指導・助言ができるように、それぞれの学校が協力し合えるような仕組みをつくらなくてはなりません。

> べつの学校に通っていても、いじめはいじめ

いじめられた子といじめた子が別の学校に通っていても、いじめはいじめだ。その場合、それぞれの学校の先生たちが協力しないと、いじめの調査をしたり、対応や指導がうまくすすまない。だから地方公共団体に、それぞれの学校が協力し合えるような仕組みをつくりなさい、と言っているんだね。

第28条

学校の設置者または その設置する学校による 重大事態への対処

1　学校の設置者または学校は、次にあげる場合は、そのいじめを解決し、同じようなことがまた起こるのを防ぐために、組織を設け、質問票を利用するなどして、事実を明らかにするための調査をしなければなりません。
　なお、次にあげる事態のことを「重大事態」と呼びます。

(1)その学校の子どもの生命や心身、財産に重大な被害が生じていて、その原因がいじめであるかもしれないと思われる時

(2)その学校の子どもが一定の期間学校に来れなくなっていて、その原因がいじめであるかもしれないと思われる時

2　学校の設置者または学校が重大事態の調査を行った時は、調査の対象となったいじめを受けた生徒と、その保護者に対して、調査でわかった事実やその他必要な情報をきちんと提供しなければなりません。

3　学校自身が直接重大事態の調査を行う場合は、学校の設置者は学校に対して、必要な指導と支援を行わなければなりません。

「重大事態」が起こった時

「重大事態」が起こった時、学校設置者や学校は調査をしなければならないと定められているよ。では、「重大事態」ってどんな状態をさすのだろう。

(1)いじめによって、生命や心や体、持ち物などに重大な被害があったかもしれないと思われる時、たとえば、次のようなことが起こっている時だ。

- 自殺をした。または、自殺しようとした
- なぐられて骨折したり、投げ飛ばされて脳震盪を起こすなど、体の被害を受けている
- 嘔吐や腹痛など、精神的な原因から起こる症状が長く続いたり、PTSDと診断されるなど、心に被害を受けている
- お金を取られた、自転車をこわされた、スマホを水につけられたなど、持ち物に大きな被害を受けている

(2)いじめによって、長い間学校を休まなければならなくなっている。

この長い間というのは、年度中に30日間休んだことが目安になる。30日つづけて休まなくても、休んだり休まなかったりして、休みの合計が30日の場合も含まれるよ。

キーワード ▶ **あるかもしれないと思われる時**

本当にいじめが原因で重大な被害が生じているのか、長い間学校を休んでいるのかはっきりしない場合でも、そうであるかもしれないと思われる時には、調査を始めなければいけない、ということだよ。

第28条　学校の設置者又はその設置する学校による対処

- 学校の設置者または学校が行う調査は、事実を明らかにするために、次のようなことを調べるよ。
  - いじめがいつ頃から始まったか
  - だれからいじめが行われたか
  - どのようないじめだったか
  - いじめが始まったのにはどのような事情があったか
  - 友だちとの関係はどうだったか
  - 学校や職員はどのように対応したか

この調査の目的は、1つは今起きているいじめを解決したり、対処したりすること。もう1つは、また同じようなことが起きないようにすることだよ。

> **キーワード　調査をする人**
>
> 　調査のための組織を学校に置くか、学校の設置者（公立学校の場合は教育委員会）に置くかは、その時々に学校の設置者が決める。法律では、調査をするメンバー（調査委員）を特に定めていないけれど、調査が公平に中立的に行われるために、関係者ではない人が参加するのがよいとされている。たとえば、弁護士、精神科医、学識経験者（学者）、心理や福祉の専門家等、専門的知識や経験をもっている人たちだ。

- 調査がどんなふうに行われるかというと、アンケートを取ったり、生徒、保護者、教員に聴き取りをしたりする。この時、いじめを受けた人がもっとこまった状況になったり、安心・安全でなくなったり、不利な立場に立たされないように、調査の方法がくふうされなくてはならないんだ。

- 調査が終わったら、いじめを受けた子とその保護者に、調査してわかったことを伝えなくてはならない。ただし、いじめをした子やいじめを見ていた子、そして話をしてくれた子のプライバシーが侵害されないように注意しなくてはならないんだ。

- 調査が学校で行われる場合は、学校の設置者は学校に対して、指導や支援をしなければならない。

＊重大事態が発生した時は、学校は次のページの表のように学校設置者を通じてそれぞれ所轄庁に対し、重大事態が発生したこと及び、行った調査の結果を報告しなければなりません。そして、報告された重大事態の対処や再発防止のために必要と判断された場合は、学校または学校設置者が行った調査の結果について所轄庁が再調査することができます。

第28条　学校の設置者又はその設置する学校による対処

学校の種類別重大事態調査の流れ

28条の調査組織 事実関係を明らかにするための調査	→ 報告 →	再調査の主体 学校又は学校設置者が行った調査の結果についての再調査
公立学校 教育委員会又は公立学校	→	**地方公共団体の長** 再調査の結果を議会に報告
私立学校 学校法人又は私立学校	→	**都道府県知事**
国立学校 国立大学法人又は国立学校	→ 学長 →	**文部科学大臣**
公立大学法人が設置する公立大学に附属して設置される学校 公立大学法人又は公立大学附属学校	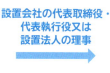	**当該公立大学法人を設置する地方公共団体の長**
学校設置会社又は学校設置非営利法人が設置する学校 学校設置会社又は学校設置非営利法人又は学校	→ 設置会社の代表取締役・代表執行役又は設置法人の理事 →	**認定地方公共団体の長**

第28条　学校の設置者又はその設置する学校による対処

重大事態じゃないいじめは調査しないの？

重大事態でない場合でも、学校はすみやかに調査をしなければならない（23条2項）。ただ、重大事態とそうでない場合は、調査に次のようなちがいがあるんだ。

①だれが調査をするか
　○重大事態→「学校」または「学校の設置者」
　○そうでないいじめ→「学校」
　＊重大事態の場合は、外部の第三者を加えた調査が望ましいとされているので、より正式な調査が求められていると考えられる。

②調査の内容
　○重大事態→いじめの事実について。加えて、その時の学校の対応についても調査する。学校がいじめに対して十分な対応をしなかったために、重大事態になってしまうこともあるからだ。
　○そうでないいじめ→いじめの事実について

③その後の対応
　○重大事態→国立学校の場合は文部科学大臣に、公立学校の場合は地方公共団体の長に、私立学校の場合は都道府県知事に報告する（29条～31条）。報告を受けた側は、必要に応じて調査の再調査ができる。重大事態になっている場合は、学校以外の機関を巻きこんで、再発防止のための対策を立てて実行する必要があるからだ。
　○そうでないいじめ→学校は学校の設置者に対して、いじめの通報・相談があって調査が行われたこと、そしてその結果について報告する（23条2項）。

第2章

「いじめ」と人権・子どもの権利

「人権」ってなに？

ペンペン：「人権」って言われてもピンとこないんですけど、どういうことなのか、教えてもらえますか？

三坂

　たしかに「人権」って、ちょっとわかりにくくてむずかしそうだよね。いろんな説明の仕方があると思うけど、説明してみるね。
　「人権」というのは、だれもが人間らしい生活をするために、自分の人生の主人公として生きるために、必要な権利のことです。人権がなかった時代とくらべてみると、具体的にイメージしやすいかもしれません。
　昔は、奴隷や農奴という身分の人がいて、主人の命令にはさからえなかったり、強制的にひどく働かされたり、まるで物のように売り買いされたりしていた時代がありました。その人たちに人権はありませんでした。でも、長い歴史のなかで、「だれもが人間らしく生きることのできる社会をつくりたい」と考える人が増えていき、その願いは多くの人たちの努力によって、時間をかけて育てられてきたのです。そして、「思想・良心の自由」、「職業選択の自由」、「表現の自由」、「幸福追求権」など、人間らしく生きるために必要な権利が「人権」としてすべての人びとに守られなければならない、という主旨の「人権宣言」が生まれました。
　今、人権は、大人に対してだけでなく、子どもにもできるだけ同じように保障されるべきだと考えられるようになりました。日本で人権を保障している決まりが「日本国憲法」です。

日本国憲法については60ページコラムへ➡

ちょっと質問！
人権って、権利とはちがうんですか？

　「人権」を考える材料として、たとえばいくつかの権利を挙げてみます。「特許権」、「著作権」、「生存権」、「営業権」など……。どれもちょっとは聞いたことがあるなという人が多いと思います。特許権は、なにかを発明した人がその発明をほかの人に勝手に利用されないという権利で、著作権は、本やマンガ、音楽などを書いたり・作ったりした人がその作品をほかの人に勝手にコピーされたり売られたりしないという権利です。生存権は、人が健康で文化的な最低限度の生活をしていくことができ、そのことをほかの人からおびやかされない権利で、営業権は、商売や事業を営んでいる人がその商売や事業をほかの人から妨害されない権利です。
　これらはどれも「権利」と呼ばれていて、権利というのは法によって守られる重要な利益を意味しています。
　では、質問です。上に例としてあげた4つの権利の中に、1つだけほかとは少し性質のちがう権利がまじっています。どれでしょうか。

う～ん、特許権、著作権、生存権に営業権、どれかなあ……。

「人権」ってなに？

　答えは、生存権です。
　ほかの3つの権利、特許権、著作権、営業権は、人が発明したり本を書いたりなど、なにかをしたり、なにかを持っていたりすることに基づいて、その人に保障されている権利です。でも、生存権だけはちがいます。
　生存権は、なにかをしたとか持っているとかいうことがなくても、すべての人が人間らしく生きるのに必要な権利で、生まれたばかりの赤ちゃんにも、病気で寝たきりの人にも保障されています。
　どうして生存権がすべての人に保障されるかというと、健康で文化的な最低限度の生活をすることは、人が人間らしく生きていくにはどうしても必要なことだからです。
　さて、わかったかな？　権利の中でもとくに人間らしく生きていくのにどうしても必要で、すべての人に保障される権利、それが「人権」なんです。
　「人権」には、生存権のほかにも、「思想・良心の自由」、「表現の自由」、「職業選択の自由」などさまざまな権利があります。
　権利と人権のちがい、わかってもらえたでしょうか？

はい、前よりはわかってきたかな。人権のこと、もう少しくわしく説明が聞きたいです。

大切な3つの「人権」

❶ 安心の権利

　では、もっとつっこんだ説明を。人権にはいろいろな権利がありますが、それを大きく3つのグループに分けて説明してみますね。
　1つ目は「安心の権利」です。安心は、日々の生活でも実感しやすいと思います。
　もし、朝起きて、今日はごはんが食べられない、学校へ行くとちゅうに暴力をふるわれるかもしれない、明日にでもほかの国と戦争が始まるかもしれない、なんていう状況だったら安心してなんかいられませんよね。あなたの安心はおびやかされています。
　そんな不安や恐怖がなくて、日々、安心して生活していけることは、人間らしく生きていくうえでどうしても必要なことで、このため「安心の権利」が人権の1つ目の内容になっているんです。
　日本国憲法には、「恐怖と欠乏から免れ、平和のうちに生存する権利」（前文）、「健康で文化的な最低限度の生活を営む権利」（25条・生存権）として書かれています。

安心してくらせない理由って、ほかにもあるよね。台風、ハリケーン、津波、地震などの自然災害、戦争、紛争、貧困、虐待、それに、
いじめ！

❷ 自分の価値を実感できる権利

　２つ目は、「自分の価値を実感できる権利」です。自分の価値を実感できるって、どういうことだと思いますか？

　この世界には、とてもたくさんのいろいろな人たちが生きています。でも、一人ひとり、ちがった特徴をもち、ちがった興味や関心や好みがあり、一人として同じ人はいません。あなたは、世界でたった一人の「かけがえのない、特別で、スペシャルな存在」です。

　なにか特別なことができるとか、人とくらべてすぐれているとかでなく、だれともちがう個性をそなえた、ありのまま、そのままのあなたが、かけがえのない存在だということです。

　でも、たとえば親や先生から、「勉強ができない」「なんにもとりえがない」と言われつづけたり、仲よくしたいと思っているのに友だちに無視されつづけたりしたら、自分に価値があるなんて思えなくなると思います。

　だから、ありのままの自分に価値があり、自分は大切でかけがえのない存在だと感じながら生活していけることも、人が人間らしく生きていくうえでどうしても必要なことです。このため、「自分の価値を実感できる権利」が人権の２つ目の内容になっているんです。

　憲法では、一人ひとりが「個人として尊重」されると規定する13条が、「自分の価値を実感できる権利」や「人格権」を保障していると考えられます。

大切な3つの「人権」

「個人として尊重」されるって、国籍とか信仰とか性別とか好みとか、いろんなちがいや個性をもった人間が、一人ひとり「個」として尊重されて、それぞれに「自分の価値を実感できる権利」があることなんだって！
そのことを憲法が保障しているんだよ。

❸ 自分で決め・自分の意思が尊重される権利

3つ目は、「自分で決め・自分の意思が尊重される権利」です。

どんな髪型にするか、休みの日に何をしてすごすか、どんな友だちと遊ぶかなど、あなた自身の重要なことについて、自分の意思が大事にされず、親や先生などの大人が一方的に決めてしまうとしたら、どうでしょうか。

自分のことなのに、自分自身の好みや希望が無視されたままだったら、多分、すごくきゅうくつな生活の中で、自分を大切に思えなくなり、自分らしく生きていると感じられなくなってしまうんじゃないでしょうか。

ですから、自分自身の重要なことについて、自分自身で決めることができたり、（子どものあいだは）全部自分では決められないとしても、少なくとも自分の意思が大切にされること、これも人間らしく生きるうえでどうしても必要なことです。だから、「自分で決め・自分の意思が尊重される権利」が、人権の3つめの内容になっています。

日本国憲法では、「思想良心の自由」(19条)、「職業選択の自由」(22条)、「表現の自由」(21条)、「幸福追求権」(13条後段)などで保障されています。
　これらの権利は、人間らしく生きるうえでどうしても必要なものなので、「人権」として、憲法がすべての人に保障しています。人権を保障している日本国憲法は、わたしたちが人間として生きるうえでとっても大切なものなのです。

憲法とは？

憲法というルールの特徴

　複数の人がなにかにかかわる時には、できること、できない（してはいけない）ことなどの約束ごとを決めておく必要があります。このような約束ごとを「ルール」と呼びます。その中で、国の選挙で選ばれた人（国会議員）が集まった国会の場で決めたルールが「法律」です。法律は、その国に住んでいる人が、できること、守らないといけないことについて定めています。この本で紹介している「いじめ防止対策推進法」もそんな法律の１つです。
　憲法もルールの１つであり、国全体についてのルールという点では法律と似ています。ただ、法律が、国民どうしや、国民と国とのかかわりについて決めているのに対し、「憲法」は、国に住んでいる人に保障される人権や基本的権利を確認し、その人権や基本的権利を守るために国のほうが従わないといけない決まりを定めたルールであるという点が特徴で、法律をもしばる強い効力があります。

憲法の基本原則と人権

　憲法には3つの基本原則があるとされています。1つ目は、国の大事な問題について決めるのは国民であるとする「国民主権」、2つ目は、争いを解決する手段として戦争を行なわず、また、軍隊などの戦力を持たないとする「平和主義」、そして、3つ目は、国は、国内に住む一人ひとりの人権を最大限尊重しないといけないとする「基本的人権の尊重」です。

　基本的人権（人権）とは、人が人間らしく生きていくうえでどうしても必要な権利で、憲法は歴史の中で確認されてきた人権について多くの定めをしています。

　この人権にはいろいろな分類の仕方がありますが、本文でも紹介しているように、人権は、安心の権利（25条：生存権など）、自分の価値を実感できる権利（13条：人格権など）、自分で決め・自分の意思が尊重される権利（22条：職業選択の自由など）に分けることができます。私たちがこうした人権を保障されながら生きていけることを、憲法は保障しています。

　憲法って、みんなが生きていくうえですごく大事なものなんだね！

　そう。今まで説明してきた「人権」が、いじめとどんなふうに関係あるのか、次の話から、もう一度考えてみてくださいね。

いじめと人権

　小学校５年生のＡさんは、ある時、授業中に教科書の読みまちがいをしてしまった。すると、クラスの子たちはそれを聞いて笑った。その後、何人かが、読みまちがいをマネしてＡさんをからかうようになった。

　何度もからかわれて、Ａさんは一度大声で怒った。でも、その怒ったようすもからかいの種にされて、「ウザイ」「キモイ」と言われたり、つくえの横にかけているかばんを落とされたり、ペンケースをかくされたりした。からかいに加わらなかったほかの子も、だんだんＡさんを避けるようになった。

　そんなことが１か月くらい続いた……。

　Ａさんは朝起きると、「今日はどんなことを言われるだろう。どんなことをされるだろう」と考えて、学校に行くのがどうしようもなく不安になる。

➡ 安心の権利がこわされる

　Ａさんは「自分はダメな人間だ」「自分なんか生きている意味がない」という気持ちが強くなっていった。

➡ 自分の価値を実感できる権利がこわされる

　こんな状況をなんとか変えたいと、Ａさんは友だちにあいさつしたり、話しかけたりしてみたけど、クラスの雰囲気を変えることはできなかった……。自分の気持ちが伝わらないこと、自分の思うように状況を変えることができなかったことで、Ａさんはますます落ちこんだ。

➡ 自分で決め・自分の意思が尊重される権利がこわされる

ホントだ。いじめを受けると、「**安心の権利**」、「**自分の価値を実感できる権利**」、「**自分で決め・自分の意思を尊重される権利**」がこわされてしまうんだね。

そう。「いじめは人権侵害です」って言われるのは、そういう理由からなんですよ。

子どもの決定権と意見表明権って？

さっき出てきた人権の3つ目、「自分で決め・自分の意思が尊重される権利」は、子どもでも、自分のことは自分で決められるってことなの？

　18歳になる前の子どもには、もちろん自分で決められることもあるけれど、自分だけでは決められないこともけっこうあります。それは、子どもは、大人になって自分にとって大事なことを自分で決められるようになっていくとちゅうにいるからなんだけど、もうちょっと説明しますね。
　だれでも生まれてすぐに、自分の力だけで生きていくことはできません。

子どもから大人へ、日々、成長・発達していくわけですが、その段階では、情報・能力・経験は不足していて、自分にとってなにがよいかを判断するのがむずかしい場合もあります。自分だけの判断では取り返しのつかないダメージを受けてしまう危険もあるので、子どもはそういったダメージや危険から守られるべき存在なのだということです。

　だから、自分に関することを自分で決める権利は、大人とまったく同じようには保障されていません。けれど、子どもだからといって、自分にとってなにがよいかを考えられないわけではありませんよね。たとえば、どんなことをしている時がいちばん楽しいか、熱中して取り組めるものはなにかなどは、あなたにしかわからないでしょう。

　そんなあなたにとって大切なことを、まわりの大人がかってに決めたら、「そんなのいやだ」「受け入れられない」と思うのは当然です。あなた自身の気持ちや希望や意見が生かされなかったら、あなたにとっての「よい選択」にはならないからです。

　だから、「子どもの権利条約」には、子どもの重要な基本的権利として、「意見表明権」が保障されています。自分に関係のあることについて、意見を聴かれ・尊重される権利が認められているのです。たとえば、趣味、服装や髪型、進学・就職、友だちづきあいでは、自分の気持ちや希望・意見（言い分）を、親や教師などまわりの大人にきちんと聴いてもらい、それを十分に尊重することを求める権利が保障されているのです。

　このことは「子どもの権利条約12条・意見表明権」または「聴取され尊重される権利」に書いてあります。

子どもの権利条約とは？

▼

　子どもの権利条約（児童の権利に関する条約）は、子どもに基本的な人権と権利が守られるようにするために、世界中の多くの国の賛成によって定められた国際条約（国と国との間の法的な約束）です。1989年に国連総会で条約として採択（成立）され、日本も1994年に批准（国としてこれを守るという約束）をしました。

　子どもの権利条約は、子どもをただ大人によって守られるというだけの存在ではなく、一人ひとりの子どもを、一人の尊重（大切に）されるべき人間として認め、自分の権利を自分で行使する（使う）ことのできる主体（主人公）として認めているところに特徴がある、と言われています。

　子どもの権利条約は、子どもに保障される、多くの基本的な人権と子どもだけに保障される子どもの権利とを定めています。その中でとくに重要なものとして、次の４つの基本原則（基本となる重要なルール）があります。

1　差別の禁止（2条）

　すべての子どもは、どのような差別も受けない権利をもっています。

　子どもは、その子自身やその親の、人種、性別、意見、障害の有無、社会的出身、貧富の差などを理由としたあらゆる差別を受けない権利をもっています。

2　子どもの最善の利益（3条）

　すべての子どもは、国や大人が、子どもにかかわるなにかを決める時、その子にとってなにがもっともよいことなのか（「最善の利益」といいます）を、もっとも重視して決めてもらう権利をもっています。

3　生命・生存・発達の権利（6条）

すべての子どもは、生きる権利・育ち発達していく権利をもっています。

4　自分の意思を聴かれ・それが尊重される権利 （意見表明権）（12条）

すべての子どもは、自分にかかわることがらについて、自分の意思や意見を聴かれ・それを表明し、その意思や意見を尊重（大切に）される権利をもっています。

「いじめ防止法」を読んでいたら、「子どもの権利条約」と「憲法」がでてきて、なんだか頭がこんがらがってきた人もいるかもしれないね。
「憲法」は、子どもも大人もふくめて、すべての人が人間らしく生きるために必要な「人権」を保障している国内ルールだ。「子どもの権利条約」は、特に子どもにとってなにが大切かということを考えて決められた国際ルールで、子どもに保障される「人権」と「子どもだけに保障される権利」を定めている。そして、「憲法」や「子どもの権利条約」が保障する子どもの権利・人権を、実際のいじめという場面で働くルールとして定めたのが「いじめ防止法」なんだよ。
「憲法」も「子どもの権利条約」も、いじめからきみを守るためにも、きみがきみらしく生きていくためにも、とても大切なものなんだ。だから、きみにはずっとつきあっていってほしい。これ、ペンペンからのだいじなおねがいだよ。

第 3 章

「いじめ」を受けたらどうする？

これって、いじめ？

登場人物：ハジメ（小学6年生）・弁護士（佐藤）

ハジメは小学6年生。5年生から同じクラスで仲がよかったタケルが、このごろ、はじめのことを「オワリ」とか呼んで、しつこくからかってくるのでこまっている。でも、タケルのほうがただ遊んでいるだけなら、だれかに相談するのも変だし、くよくよなやむことではないのかもしれない。でもやはり気分がはれないので、知り合いの弁護士さんに相談にやってきたというわけだ。

これって、いじめ？

なんだか元気がないね。なにかあったの？

5年生から同じクラスになって、仲よしだったタケルがさ、このごろ、ボクのことを「オワリ」とか呼んで、しつこくからかってくるんだ。貸したマンガを「返して」って言っても、返してくれなくてこまってる……。

「オワリ」なんて呼ばれて、つらかったね。悲しい気持ちやとまどっている気持ちが伝わってきたよ。このことはだれかに相談したのかな？

ううん。タケルとは友だちだし、タケルやほかのみんなも、「ただ、遊んでるだけ」と思っていたら、ボクがだれかに相談するのはヘンじゃない？

でも、きみは今、つらい気持ちや悲しい気持ちになっているよね。それならきみのされていることは、法律では「いじめ」に当たるんだよ。
いじめ防止法の2条を見てみようね。

> 「いじめ」とは、ある子どもに対して、同じ学校に通っていたりなど、かかわりのある他の子どもたちが行う、心や体に影響を与える行為で、それらの行為によって、対象となった子どもが心や体に苦しさや痛みを感じているものを言います。行為の中には、スマートフォンやインターネットを使ってする場合も含まれます。
>
> （第1章10ページ）

そして4条には、「子どもたちは、いじめをしてはいけません」とあるし、8条には、「先生たちは協力してすばやく行動する。学校の先生たちも、学校全体でいじめを防いだり、早く見つけたりしないといけない」と法律で決められてるよ。だから、きみがだれかに相談することは変なことなんかじゃないよ。

そうなんだね。
ちょっと、安心した。

これって「遊び」？ それとも「いじめ」？

やられた子が「いじめられた」と感じていても、やった子が「ただのゲームだよ」「遊んでるだけ」と言ったとしたら……。「いじめ」と「あそび」、どうちがうのかな？

「あそび」の特徴には、次のような点があげられる。
- 参加している人みんなが楽しい。
- からかう側とからかわれる側、鬼役と逃げる役などは交代できる。
- みんなが、自分から（自分の意志で）参加している。

これに対して「いじめ」の特徴には、次のような点がある。
- やられている子は、つらい気持ちになる。
- からかう側とからかわれる側が、いつも決まっている。
- 本当は参加したくないのに、むりやり参加させられることもある。

たとえ、「これは遊びだ」「ゲームだ」と言う人がいても、だれかの心や体が傷ついているのなら、それは「いじめ」なんだよ。

いじめは人権を傷つける

でも、やっぱりよくある友だちどうしのトラブルかもしれない。こんなことでくよくよする自分のほうがおかしいのかも……。

ちょっとまって。いじめを受けると、きみの人権が傷つけられるんだよ。「人権」と聞くとむずかしく感じるかもしれないけど、「安心の権利」、「自分の価値を実感できる権利」、「自分で決め・自分の意思が尊重される権利」という3つの権利は、私たちが自分らしく生き生きと生きていくために欠かせないエネルギーの源だし、幸せになるためにもとても大切なもの（くわしくは第2章も読んでね）。でも、いじめを受けると、この3つの権利が傷つけられてしまうの。

権利が傷つけられるって、どんなふうに？

　きみは、いつまた友だちに「オワリ」なんて呼ばれないかって不安な気持ちでいるよね。それは、きみの「安心の権利」が傷つけられているっていうことだよ。

うん、いつもなんとなく不安だよ……。これって、「安心の権利」が傷つけられているってことなの？

　そう。それに、自分がつらい気持ちになっているのに、クラスのみんなから助けてもらえなかったり、親や先生にも相談できなかったりしたら、「自分はだれからも大切にしてもらえない」とか、「自分に悪いところがあったから、いじめられたんだ」なんて、自分を責めたり、自分のことがいやになったりするんじゃないかな。そういう気持ちになるのは、「自分の価値を実感できる権利」が傷つけられたということ。

うん、タケルにきらわれるようなことしたんじゃないかって、おちこんでた……。

自分を責めてしまったんだね。
　それに、なるべくいじめられないように、いじめっ子がいやがることはしないようにしたり、いじめっ子の言うままになったり、学校に行くのがこわくて行けなくなることもある。そんなふうに、とても不自由な学校生活を送らないといけなくなるのは、「自分で決め・自分の意思が尊重される権利」が傷つけられているということ。

３つの権利が傷ついたらどうなるの？

　自分らしく生き生きと生きていくことがむずかしくなる。たとえば、外に出たらだれかにいじめられるかもしれないなら、おびえて外に出られなくなるし、自信をなくしてしまったら、だれかと話すのがむずかしくなる。自分で決めたり意見を言えなかったりしたら、だれかの言いなりになってしまうかもしれない……。
　精神的な面だけじゃなくて、朝起きられなくなったり、息苦しくなったり、食事を食べられなくなったり、学校に行こうとするとおなかが痛くなったり、パニック発作が起きたり、体にも影響がでるよ。それがずっとつづけば、うつ病や胃潰瘍などの病気になってしまうこともある。もっと追いつめられたら、生きていくのさえつらくなってしまうことだってあるからね。

実際になぐられなくても、心や体が傷ついてしまうんだね。

そう。心や体が深く傷つけられるから、いじめは実際の暴力を受けているのと変わらないよね。いじめによって人権を傷つけることは、とても危険な暴力で、どんな理由があっても許されることではないんだよ。

でも、ボクのほうにもいじめられる原因があるんじゃないかな。「マンガをたくさん持ってるよ！」って、タケルにじまんしたことがあってさ。いやな気持ちにさせたかもしれないなって……。

わかるなあ。つい「自分にどこか悪いところがあったのかも」と考えてしまうんだよね。でも、もし、きみの行動がいじめのきっかけになったとしても、いじめという方法できみの人権を傷つけるのはけっして許されないことなの。

だれかにいやな思いをさせられても、いじめでやり返すのはダメってこと？

そうだよ。私たちは、自分以外のたくさんの人たちといっしょに生活しているよね。ほかの人たちと生活する中で、だれかの言葉や態度に不愉快な思いをしたり、イライラしたりすることもある。でも、そういうことがあっても、いじめでやり返す以外に、もっとたくさんの良い解決策があるはずだよ。
　きみは、学校でいやなことがあった時、どうしている？

家で好きなマンガを読んで忘れちゃう。

　あはは。それは、いいね！　それ以外にも、友だちに相談してなぐさめてもらったら気が晴れるかもしれないし、スポーツでストレスを発散する人もいるね。また、「あの時、ちょっと傷ついたから、もうしないでほしい」と、静かに相手に伝えることだってできるかもしれない。
　こうした、ほかのもっと良い方法で解決をするチャンスを捨てて、いじめという方法を選んだのは、いじめる子の側の問題なの。いじめを受けてもしかたがない子なんて、どこにもいないんだよ。

いじめられるのには理由がある？

　いじめる子は、あいつは「わがままだから」「なまいきだから」「空気読まないから」なんて、いじめる理由を言うことがある。
　でも、どんな人だって良い面だけではなく悪い面ももっている。自分の短所や悪い面がいじめの理由になるのなら、だれにもいじめられる理由があることになる。
　「あいつは優等生（ゆうとうせい）ぶってる」「がり勉！」なんていうのは、ねたみの気持ちが元になっているのかもしれない。「いじめたい」という気持ちをかかえているいじめっ子にとっては、いじめの理由はどんなふうにも見つけられるんだ。その理由は、自分のいじめを正当化するための言いわけってことだ。
　だから、どんなことがあったとしても、いじめをする理由にはならないんだよ。このことを、しっかりおぼえておいてね。

いじめがエスカレートする場合の見分け方

でもさ、タケルがいじめだって思ってなかったら、ボクが大人に相談したら、よけい怒（おこ）らせてしまうんじゃない？

そうか、きみはタケルと友だちでいたいんだね。

3章　「いじめ」を受けたらどうする？

たしかに、法律が決めた「いじめ」の定義はとても広いから、中には、悪気なく友だちの気持ちを傷つけてしまうような場合も法律の「いじめ」にあたるね。でも、仲よしで対等な友だちどうしなら、自分が傷ついたことを相手に伝えて、話し合って解決することもできるんじゃないかな。きみは、タケルと話し合えそう？

うーん、あんまり自信ない。前に「『オワリ』なんてよばないで」って言ったら、「本気になるなよ、つまんねぇな」って、ちゃんと聞いてくれなかった。

　勇気をだしてよく言えたね。でも、ちゃんと聞いてもらえなかったんだね……。もうひとつ大事なことだけど、いじめはエスカレートしていく危険があるってことも知っておいてほしいんだ。
　いじめるほうは、だんだん、相手に自分の気持ちを言葉で伝えるよりも、力でしたがわせるのが楽になってやめられなくなるし、いじめられるほうは、人権が傷つけられるうちに、だんだんさからうのがむずかしくなっていくんだよ。自分たちで解決できない場合は、なるべく早く大人に相談してほしいな。

自分たちで解決できない場合って、どんな時？

判断の目安が２つあるから、おぼえておいてね。

①自分が傷ついていて、もうやめてほしいと思っているのに、相手にその気持ちを伝えることができないと感じてしまう場合。
②自分が「やめてほしい」と伝えたのに、相手が「ただのいじり」とか「お前が悪いからだ」とか言って、やめてくれない場合。
こういう場合は、いじめられている子といじめている子だけでは、解決できない状況になっていると思ったほうがいいんだ。

わかった。

大人に言うのは、いけないこと？

　いじめる側は、「大人につげ口するなよ」とか、「チクったな、ひきょうもの」なんて言うことがある。「チクリ」や「つげ口」は、相手の立場を悪くしようとして、その人の落ち度や悪口を大人に話すこと。「相談」は、自分1人で解決するのがむずかしいことやこまっていることを、頼れる人に話して、いっしょに解決策を考えてもらうこと。相談は、問題を上手に解決するための知恵で、けっしてひきょうなことではないからね。
　いじめを自分だけの力で解決することは、いじめられている子にはなかなかむずかしいことだから、大人に相談をすることはいじめの解決に役立つ方法で、勇気のある正しい行動なんだって、おぼえておいてね。

まわりに助けを求めよう

きみとタケルの問題、相談できそうな人はいる？

 もし、学校の先生に相談したらどうなるのかな？

　いじめを発見した学校や先生が、いじめを解決するためにどんなことをしないといけないかについては、23条に書いてあるよ（38ページを見てね）。学校の先生は、いじめられている子どもを見つけたら、いじめの事実を調べて、ほかの専門家の力も借りながら、いじめに対処しなければならないことになっているの。

 「対処」って、どういうことをするの？

　いじめをやめさせて、またいじめがくり返されるのを防ぐために、いじめを受けた子どもを支援したり、ぎゃくにいじめている子を指導する、と法律には定められているの。
　また、いじめられた子が、安心して学校で学び続けられるように必要なことをしなければならない、ともある。さらに、子どもどうしの話だけで終わらせずに、どちらの親にも学校からちゃんと説明をすることも求められているのよ。どう？　先生に相談できそう？

うーん、でもやっぱり、タケルに「チクった」って言われたりしないか、どうしても心配だな。

お父さんやお母さんに相談するのは？

え！　お母さんはすごく心配症だから、ボクがいじめられてるなんて知ったら、びっくりしちゃう。お父さんは「いじめなんかに負けるな」って、言いそう……。

　だれかに相談する時に、「こんな話を聞かされてめいわくじゃないかな」とか、「いじめっ子にばれてもっといじめられないかな」とか、「かえって自分がしかられたりしないかな」とか、いろんな心配があるのはわかるよ。でも前に話したように、いじめを受けると心や体に深刻なダメージが与えられて、その人にとって危険な状況になっているの。だから、できるだけ早く、だれか、相談して話を聞いてくれる人をさがしてほしいんだ。

でも、先生や親のほかにはだれに相談したらいい？

　「人権」は３つの権利のことで、いじめを受けると３つの権利が傷つけられるって話したよね。相談相手をさがす時にも、３つの権利が手がかりになるの。まずは、なるべく安心して相談できる人はだれかなって、考えてみて（安心の権利）。

次に、話を最後までしっかり聞いてくれる人はだれかなって、考えてみて（自分の価値を実感できる権利）。もし、勇気を出して相談したのに、「もっとこうしたら？」とか「こうすればよかったんじゃない」なんて、いきなりアドバイスされたら自分に自信をもてなくなるよね。
　そして、実際にいじめの解決に向けて行動を起こす時に、そのタイミングや方法について、きみの意見を大切にしてくれる人がいいね（自分で決め・自分の意思が尊重される権利）。

 うーん。保健室の先生かな……。

　そうか、保健室の先生なら話せそうなんだね。でも、もしうまく相談できなかったとしても、それであきらめないで、ほかの人をさがしてみることが大事なんだ。きっときみの味方になってくれる人が見つかるよ。
　もちろん、私たち弁護士もその中の１人になれると思う。だれかに相談する時に助けが必要だったら協力できるし、いっしょに話をしに行ったり、代わりに話をしたりすることもできるからね。
　そうそう、学校はいじめが起きる前から「学校いじめ防止基本方針」をつくって、どういじめに対応していくか、ルールを決めて公表することになっているの。このことはいじめ防止法13条に定められているよ（23ページを見てね）。きみも、自分の学校にどんな「学校いじめ防止基本方針」があるか調べてみたらどうかな。

 やってみる。知らないことがたくさんあったよ。教えてくれてありがとう。

> ほかにも役にたつことがあるかもしれないから、この先のコラムも読んでね。

どんな大人に相談する？

次のことを目安にして、相談できる大人をさがそう。ふだんから、1人ではなくて3人くらい、あてはまる人を思いうかべておくといいね。

* 真剣にきみの話を聞いてくれそうな人
* とちゅうで話をさえぎらずに最後まで聞いてくれそうな人
* 「つらかったね、話をしてくれてありがとう」と言ってくれそうな人
* きみの感じていることや意見をだいじにして、かってになにかしない人

相談相手がすぐに見つからない時は、匿名（名前は言わない）で、子どもが相談できる相談窓口もあるから利用してみて。

★ 東京弁護士会子どもの人権110番
　03-3503-0110
　月〜金　13:30〜16:30
　　　　　17:00〜20:00（受付時間19:45まで）
　土　　　13:00〜16:00（受付時間15:45まで）

★ チャイルドライン
　0120-99-7777（フリーダイヤル）
　毎日　午後4時〜午後9時

ためになる情報

いじめられたら、記録をつけよう

　　　　毎日の出来事は、時間がたつと忘れたり、あいまいになったりするから、記録をとることが大事だ。いじめかどうかわからなくても、いやな気分になった出来事の記録をとってみると、なにが起きたのかがわかることもある。相談する時にも、記録は大事なしょうこになる。

【記録をつけるポイント】
- いつ、どこで、だれが、だれに、なにを、どうしたのか。
  事実をしっかり書きとめること。
- その時の自分の気持ちや、こうしたかったと思うことも書こう。

【例】
　○月○日の昼休み、ぼくは、クラスの友だち8人でドッチボールをしていた（A、B、C、D、E、F、G、ボク）。
　そのうちAがボクばかりねらって、BとCもいっしょにボクをねらうようになった。がんばって逃げまわってたら、BとCにはさまれて、Aが思いきりボールをぶつけてきた。太ももに当たってすごく痛かった。
　Aが「お前の逃げ方おもしろいから、当たったけど外に出なくていいよ」と言って、ねらわれつづけた。あと4〜5回くらいボールをぶつけられて、痛くて、こわくて、逃げたくて、泣きそうになった。

学校に行くのがつらい時は休んでもいい

　　　　子どもの権利条約では、子どもが教育を受けることは、大切な子どもの人権の1つなので、子どもたちに教育を受ける権利を認めないといけない、と考えられている（28条）。
　それはどうしてかというと、もし子どもたちが教育を受けられなけれ

ば、自分に保障されている人権についても、どんな人権があるのか、どうして人権が大切なのかということだって知るチャンスがないよね。

また、自分の人権が傷つけられた時に、どうやって自分を守るのか、他の人の人権と自分の人権どちらも大切にして生きていくためにどうしたらよいのかも学べない。

教育は、子どもたちにとって、自分のそしてみんなの人権を大切にして生きていくために、とっても大切な時間なんだ。だから、子どもの権利条約29条では、子どもの教育の「目的」として、人権を大切にし、豊かに育てていくことを大切な目的の1つとしているんだ。

教育が子どもたちの人権のためにあるなら、子どもたちを教育する「学校」の中で、いじめで人権が傷つけられてしまうようなことがあるなんておかしいよね。

それから、学校に行くのは「義務」というのはちがう。たしかに、保護者には子どもをちゃんと育てる義務があるから、子どもを小学校・中学校に通わせないといけない（学校教育法17条1項・就学義務）。でもそれは保護者の義務であって、子どもであるきみの義務ではないんだ。

学校以外に勉強ができる場所ってあるの？

いろんな理由や事情で、学校に行かない（行けない）子どもたちにも、教育を受けられる取り組みを進めていこうという「教育機会確保法」という法律ができた。そして、学校以外の「フリースクール」や「フリースペース」に通った場合も学校の出席として認めてもらえたり、オンラインで授業に参加したりもできるようになったんだ。

また、いじめが原因で学校へ通えなくなった場合は、校長先生と相談して、近くの別の学校に転校するというケースも増えてきたよ。

次のような場所が学校以外で利用できるよ。

●**主に小学生・中学生が利用する場所**
●**適応指導教室（教育支援センター）**
　教育委員会が設置する施設で、不登校の子どもたちの学習指導やサ

83

ポートを目的に、学校以外の場所や使われていない教室などを利用して、教科書を使って勉強の指導を受けられたり、カウンセリングを受けられたりする。多くの地方自治体に設置されているよ。

● **フリースクール（フリースペース）**
NPOや個人が運営する地域の不登校の子どもたちの居場所。校長先生が認めてくれたら、フリースクールに通った日数を学校に出席した日数として扱ってもらえる。カリキュラムや時間のすごし方はさまざまだから、一度、見学に行ってみるといい。

◉ **主に高校生が利用する場所**
● **通信制高校**
学校から送られてきたテキストなどの教材をもとに自宅学習をする。ただし、年に数日から数十日前後のスクーリング（登校して学校で勉強する日）もある。単位を取得すれば、高校卒業資格がもらえる。

● **サポート校**
通信制高校に通う生徒をサポートするための民間の教育施設で、学習塾や予備校などが運営している。通信制高校の勉強を進めたり、友だちを作ったりというさまざまなサポートが受けられる。また、通信制高校での卒業資格を目ざすので、教室にはあまり通えなくても、通信制高校の単位を取れば高校卒業資格をもらえる。

● **高等学校卒業程度認定試験**
さまざまな事情で高校を卒業できなかった人の学力を認定する試験。合格すると、高校を卒業したと同じかそれ以上の学力があるとして、大学などの受験資格を得られる。また、高校卒業者と同じ就職試験や資格試験を受験することもできる。

第4章

「いじめ」てしまったらどうする？

エピソード ❶

登場人物：ゴロウ（小学5年生）・弁護士（加藤）

　小学5年生のゴロウは、同じクラスのサンタが、いつも授業中にとなりの子に話しかけたり、手をあげて発言した子にやじをとばしたりするのが、ずっと気になっていた。

　ある時、みんなの前で、「うざいんだよ。バカじゃねえの」と、サンタをなじった。それからサンタは、授業中はわりあい静かになったけど、あいかわらず休み時間になると、何人かで話しているところに割りこんできてさわいだり、サッカーしているとじゃましたりする。

　ゴロウはめんどうくさくなって、サンタを無視するようになった。

　するとある日、学校から家に電話があって、「ゴロウがサンタをいじめている」と言われた。お母さんはゴロウを連れて、弁護士に相談にきたというわけだ。

人のいやがることをしたら無視されてもしかたない？

　こんにちは。お母さん、息子さんと2人で話をさせてもらっていいですか？
　ゴロウさん、今日は相談に来てくれてありがとう。先生から、友だちのサンタさんをいじめているって言われたんだってね。それで、きみはどう思っているのかな？

加藤

エピソード ❶

ゴロウ

サンタにすごく腹が立ってるよ。だって、人のいやがることをしたのはサンタのほうで、注意してもきかないし、それが理由で避けられているのに、こっちが悪いみたいに言うなんてさ。こんなことが「いじめ」になるなら、言ったもの勝ちだよ。

なるほど、きみは納得がいかないんだね。サンタさんが人のいやがることをやったんだから、無視されてもしかたがないって思っているってことかな？

まあ、そうかな。なんでみんなのいやがることばかりするんだ！って、頭にくる。

そうなんだね。ところで、私は人の名前がなかなか覚えられなくて、会った時に名前が出てこなくて、相手をいやな気分にさせたことがあるの。だから、それからは手帳に書いて忘れないようにしているんだ。こんなふうに、思いがけず相手にいやな思いをさせちゃったことって、きみにはないかな？

うーん。そういえば、みんなでサッカーやる時に、ぼくがチーム分けしたことがあったんだ。その時、イッタに「なんでお前が決めるんだよ」って、文句言われた。ぼくはみんなの力を考えてチームを分けたら、楽しくサッカーができると思ったのに。

4章　「いじめ」てしまったときどうする？

87

そうか。多分、イッタさんは、きみにかってに力を評価（ひょうか）されたのがいやだったのかもしれないね。それが原因（げんいん）で、もしイッタさんに無視（むし）されたとしたら？

いやな気分になる……。傷（きず）つくよ。

そうだよね。思いがけずだれかにいやな思いをさせちゃうって、だれにでも起こることだから、いやな思いをさせられたからって、その人を無視（むし）してもいいってことにはならないと思うよ。無視（むし）するほかにも方法はあると思うから、いっしょに考えてみようか。

言いたいことは伝わっていたのか？

⬇

サンタさんは、まわりの人がどう思っているか、気づいてないんじゃないのかな。

えー、学校って集団（しゅうだん）生活なんだから、みんながどう思っているかって、考えなくちゃいけないと思うんだ。ぼくもなるべくそうしているし、みんなもそうだと思うよ。サンタだけちがうから注意したんだ。

エピソード ❶

きみが注意したことはまちがってないと思うよ。でも、きみが言いたかったことはサンタさんに伝わったと思う？ 友だちに注意するのはむずかしいよね。「否定された」とか、「バカにされた」と思わせてしまうことも多いんじゃないかな？

うーん、たしかに、「うざい」とか「バカ」しか言わなかった。

だとしたら、きみの気持ちは伝わってないんじゃないかな。それにサンタさんが、自分の態度が他の子にいやな思いをさせていることに気づいていなかったら、きみの言葉で「傷ついた」って気持ちだけが残っているかもしれないよ。

サンタは、自分のやっていることをみんながどう思っているか、わかってないんだね。だから、ぼくがなんで怒ったのかも伝わってないってことか……。

いいことに気づいたね。きみやみんなの困りごとはどうやったら解決するか、もう少しいっしょに考えてみよう。

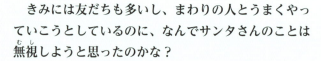

きみには友だちも多いし、まわりの人とうまくやっていこうとしているのに、なんでサンタさんのことは無視しようと思ったのかな？

サンタはいつも自分勝手。注意しても変わらないなら、無視したほうが楽かなって。

なるほどね。でも、無視しても状況は変わらないだろうし、場合によってはもっと悪くなるかもしれないよ。それは、きみにとってもいいことではないと思うんだ。

でも、サンタにどう言えば伝わるのかわからないよ。それに、サンタとどうやって話し合うきっかけをつかんだらいいんだろう。だって、むこうは「いじめ」られていると思ってるわけだし。

まずは話し方にもコツがあることを教えておくね。

エピソード❶

「わたしメッセージ」を使おう

友だちが遊びにさそいに来たけど、今、ゲームがいいところだからじゃましないでほしい！ そんな時、きみならどう言う？

❶「うるさいな。話しかけんなよ」って言ったら、
➡友だちは、「え？ そんなに悪いことしちゃったのかな」って、不安になって、どうしたらよいかわからなくなってしまった。

❷「今、ゲームがいいところだから、もうちょっと集中したいんだ」って言ったら、
➡友だちは、「そうか、それならあとでまたさそおうかな」って、きみの状況や気持ちがわかり、自分でどうしたらよいか決められた。

❶と❷は、どこがちがうんだろう？
❶の言葉には、「（あなたは）うるさいな。話しかけんなよ」という気持ちが隠れていて、「あなた」を主語にして、相手を批判したり、相手に何かを命令するメッセージなんだ。これを、「あなたメッセージ」というよ。「あなたメッセージ」だと、相手は、一方的に非難されたと感じてしまうし、自分の気持ちやしたいことを無視されて、不安な気持ち・悲しい気持ちになってしまう。

❷の言葉には、「（わたしは）今、ゲームに夢中になっていて、もっとやっていたいんだ」という気持ちが隠れている。これを、「わたしメッセージ」というよ。「わたし」を主語にして、自分が今どんな状況で、どんな気持ちなのかを素直に伝えている。これなら、きみのようすや気持ちがちゃんと伝わるし、言われた相手も、自分になにか悪いことがあるわけでもないと理解できるから、安心して、「じゃあ、どうしようか」なと自分で考えることができるね。

友だちの意見や希望と、自分の意見や希望がくいちがってしまった時には、「わたしメッセージ」を使えば、相手を不安にさせたり、相手の気持ちを無視したりせずに、自分の思いを伝えられるよ。「あなたメッセージ」を、「わたしメッセージ」に言い換えてみてね。

4章 「いじめ」てしまったときどうする？

【例】
「昨日、先に帰ったでしょ、(あなたは)サイテー!」
➡「昨日、先に帰ったことを知って、(わたしは)さびしくなった」

「みんなのものなのに(あなただけ)ひとりじめしないで!」
➡「(わたしは)ずっと待っていたから、使いたいんだ」

　言い方については「わたしメッセージ」を参考にしてみるといいよ。それから、話し合いのきっかけについては、信頼できる先生に相談して、話し合いの場をもうけてもらうのはどうかな?
　ほかにも、クラス全体で、学校でみんなが楽しくすごすためにどうしたらいいかなって話し合う機会をもつのもいいんじゃないかな。たとえば、「人の発言を聞く態度について」とか、「遊びの仲間に入りたい時はどうすればよいか」とか、テーマを決めてね。

なるほど、いろんな方法があるんだね。どうしたらサンタに伝えられるか、先生にも相談してやってみるよ。

　ぜひそうしてね。最後に、きみに大事なことを伝えておきたいんだ。ひどい言葉を投げつけたり、無視したりするのは、だれかの「安心の権利」、「自分の価値を実感できる権利」、「自分で決め・自分の意思を尊重される権利」を傷つけてしまう。そしてそれは、物事の解決には結びつかないってことを。(第2章も読んでね)

エピソード ❷

登場人物：ロクオ（小学6年生）・弁護士（加藤）

　小学6年生のロクオは、同じクラスのイッタ、ジロウ、シロウ、ナナオと仲がよくて、休み時間はよく5人で遊んでいる。イッタは転校してきたばかりだ。今はやっているのは、じゃんけんで負けた人が勝った人の言うことを聞くゲームだ。

　最初のうちは、それぞれ勝ったり負けたりしていたけど、このごろはイッタばかり負けている。負けた人がやらされることも、「給食の牛乳一気のみ」とか、「みんなの荷物を持つ」ことから、このごろは、「上半身裸になっておどる」とか、「女子に『好き』だと告白する」など、内容がエスカレートしている。

　そのようすを見ていたクラスの女子2人が、担任の先生に相談しに行った。ロクオたちは先生から「その遊びをやめるように」と注意を受けた。

　そして、学校から連絡がきたロクオのお母さんは、ロクオを連れて弁護士のところに相談にきたというわけだ。

> なるほど、息子さんは楽しく遊んでいるつもりだったのに、「いじめ」の当事者にされたということですね。お母さんのご心配はわかります。息子さんと2人で話をさせてもらえますか？

加藤

4章 「いじめ」てしまったときどうする？

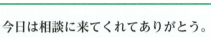

いやだと言わなければ相手も楽しんでいる？

今日は相談に来てくれてありがとう。先生から注意を受けたんだって？

ロクオ

みんなで遊んでただけなのに、女子がちくった。

じゃんけんをして、負けた人が勝った人の言うことを聞くっていうゲームをしていたんだよね。見ていた女の子たちは、なにが問題だと感じたんだろう。

イッタが負けることが多いからだと思う。イッタが勝つと、みんなで「もう一回」って言って、じゃんけんをやり直したりしてたから。

どうしてイッタさんばかり負けるようにしたのかな？

イッタは、命令されたことをいやがらずにやるから、おもしろくて。

きみがやらされる側だったらどうなの？

え〜、いやだよ。

エピソード❷

> だったら、イッタさんもいやだったんじゃないの？

> そうかも。でも、いやだって言わないイッタが悪いんじゃないの？

> いやなことをされていても、「いやだ」「やめて」って言える子はとても少ないんだ。そんなこと言ったら、「ノリが悪い」って言われたり、仲間はずれにされてしまうかもしれないって思うからだよ。それに、イッタさんは、最近転校してきたばかりなんだって？だったら、よけいにいやって言えないんじゃないかな。

> そうかなあ……。

遊びといじめのちがい

> みんなが楽しんでいる「遊び」なのか、それとも「いじめ」なのかは、参加している全員が本心から望んで参加しているかどうか、だれか一人だけがいやなことをさせられていないかどうかで区別できるんだよ（70ページを見てね）。きみたちの例も、イッタさんばかり負けていやなことをさせられていたのなら、たんなる遊びとは言えないんじゃないかな？

でも、イッタをいじるとなんとなくみんなで盛り上がれたから、やめられなかったんだ。

盛り上がって、きみは楽しかった？

その時は楽しいような気分だけど、後でなんとなくいやな気分もあった……。

だれかをいじめる理由は？

ところで、きみはなにをしている時が一番楽しい？

友だちとサッカーしたり、ゲームしてる時。

じゃあ、イッタさんをからかって盛り上がるんじゃなくて、みんなでサッカーやゲームをすれば？

そうしたいけど、ぼくたち、学校だけじゃなくて塾の勉強もあって、いっぱいいっぱいなんだ。放課後も休みの日も遊ぶ時間がほとんどないんだ。

エピソード❷

そうか。たしかに6年生になると勉強も難しくなるし、中学に入る準備で忙しくなるよね。
　子どもだって、忙しすぎればストレスがたまるし、ストレスがたまるとイライラしたり、ぎゃくに落ちこんだりするんだよ。それは、きみの本来もっている「楽しく生きる力」がパワーダウンしている状態なわけ。

楽しく生きる力って？

安心して、ありのままの自分に価値があると実感できて、自分の意見や意思が尊重されていると感じられる状態の中で、のびのび、生き生きとくらすことだよ。

どうやって楽しく生きる力を回復するか？

楽しく生きる力がパワーダウンしたら、どうすればいいの？

ほんの少しの時間でも、きみが心から楽しいと思えることをする時間をもつことだろうね。たとえば週に1、2回、放課後に友だちと遊ぶ時間をつくると、気持ちがすっきりして勉強がはかどることもあるよ。

でも、きっとお父さんやお母さんが許してくれない。中学に入ったらいくらでも遊べるんだから、今は勉強に集中！って言われてるんだ……。

　でもね、きみが心から楽しいと感じられる時間がもてずに、イライラがたまってつらい気持ちでいるんだったら、それは、きみの「安心の権利」、「自分の価値を実感する権利」、「自分で決め・自分の意思を尊重される権利」が傷つけられているってこと。そんな時に、だれかをいじめてその人の人権を傷つけるのは、きみにとってなにもいいことはないよ。
　まずは、自分の権利をしっかりと立て直すことが大事だよ。今日はお母さんも来てくれているから、そのことをいっしょに話してみようか。

うん、そうする！

エピソード ❸

登場人物：**イチ子（中学1年生）**・**弁護士（三坂）**

　中1のイチ子は、1学期の途中から、同じクラスの女子のうち3人くらいと特によくしゃべったり、いっしょに帰ったりするようになった。ただ、3人の中の1人ナナ子との関係では、ナナ子の話すことが自分で話そうと思ってることと重なることが多いなど、さまざまな点で気にさわることが多くて違和感を感じていた。

　2学期のある日、帰りの時間にいっしょに帰ろうとしていたイチ子ら3人を待たせて、ナナ子がクラスの男子と話をしていたので、イチ子が「もう帰ろう」と他の2人に声をかけ、ナナ子を置いて帰った。それから数日後のこと……。

4章　「いじめ」てしまったときどうする？

こんちは〜。遊びに来ました〜。

イチ子

おー、ひさしぶりだねー。イチ子さんももう中学生だよね。

三坂

はい。もう3か月くらい。

どうしたの？　なにか相談ごと？またレンアイ相談かな？

チガイます！って、でも相談だけど。

ちょうど仕事一段落したとこだから、相談乗れるよ。

――事務所の相談室に2人向かい合って

えーっと、ちょっとクラスの友だちのことでモヤモヤしてて……。

ふんふん、友情系ね。

ともちょっとちがう。いまクラスの女子4人くらいでよくしゃべったりいっしょに帰ったりしてるんだけど、中の1人のナナ子と合わないっていうか……。なんかその子の話すことが、私が話そうと思ってることとカブっちゃうことが多いとか、ちょっと自慢話多いとか、いろいろあって聞いてるとけっこうイラっとする。でも本人あんまり意識してないカンジだし、言うのもどうかな〜とか。

なるほど、それでモヤモヤ……と。

そうなんです！ で、こないだはいっしょに帰る時間にその子がクラスの男子と話してたんで、いつもの2人に声かけて3人だけで帰っちゃいました……。

エピソード ❸

おー、でどうなった？

うーん、その時は翌日も特に変わりない感じで、そのあとはまた4人でいっしょに帰ってるけど。

でも、まだイチ子さんとしてはモヤモヤが続いてる？

はい……。その子だけ置いて帰ったのって、いじめになるのかな？

そこね。するどい問いだよ！　成長したね〜。

からかわないでください！
いちおう悩んでるんで。

ゴメンゴメン。でもからかってないよ。しっかり考えられるようになったなーって意味。

どういうことが「いじめ」にあたるのか？

いじめをするなってよく言われるけど。どういうことをするのがいじめなの？

今の法律でいうと、なにかしら関係のある人に、なにかしら影響のある言葉とか行動をとって、それで相手が心や体に苦痛を感じたら、それは「いじめ」ってなってるよ。（2条、10ページ）

じゃあ、さっきの置いて帰っちゃったことは？

クラスメートだから関係ある人だし、いつもいっしょに帰ってる子を待たずに帰っちゃったらその子に影響与えてるし、もしその子が置いてかれたって思って苦痛を感じたら……ってフツーは感じるだろうけど、その場合、法律上の「いじめ」ってことになるね。

やっぱそうなんだ。ヤバイな。

でも、置いて帰っちゃったのってその時だけで、その後はいっしょに帰ったりしてるんでしょ？だったらそこまでナヤむことないんじゃないかな。

エピソード ❸

でも、その子にイラっとすることは続いてて、またなんかやっちゃいそうな感じ。

そうなんだ。だったら、その子といる時の自分についてちょっとふりかえっといたほうがいいかもね。

ふりかえる？

いじめはどうして起きる？
いじめたくなる気持ちが起きるのは？

↓

イチ子さんさー、いじめってどうして起きるか考えたことある？

え、どうして起きるか……ないかも。

じゃあ、こう聞いてみようか。いじめは、いじめられるほうに問題があるから起きるか、それとも、いじめるほうに問題があるから起きるか？

エーっ。それは……、やっぱりいじめられるほうに問題があるからじゃないかな。

ちょいちょい自慢を入れてくるその子みたいに？

そうそう。

でも、そういう人に対しても、置いて帰ったりとかしようとしない人もいるんじゃないの？ イチ子さんだってふだんはそんなことしなかったんでしょ。

まあそうだけど。

それに、たとえば異性に人気があるからとか、本人の問題と関係ないことでいじめが起きるってこともあるでしょ。

あ〜、ウン。

なので、私としては、いじめは、いじめるほうに問題があるから起きるんだと思うな。そこは人によって意見が分かれるところかもしれないけど。

いじめるほうに問題って、どういうこと？

エピソード❸

> それは、いじめるほうに「いじめたくなる気持ち」があるってこと。

> いじめたくなる気持ち？　まだよくわかんない。

> うーん、たとえば、イチ子さん、テストの点がいまいちだった時とか、イライラして家に帰って関係ない家族に当たったりしたくなることない？　特に自分より年下の弟くんとかに。

> あー。あるねー。

> でしょー。それ、「いじめたくなる気持ち」。

> なんとなくわかるような……。

> それって、テストの点がいまいちだった時にかぎるわけじゃなくて、家で家族とぎくしゃくした時とか、気になってる男の子とうまくしゃべれなかった時とか、ともかく何か自分としていやだなと思うこととかイラっとする出来事とか、そういうの「ストレス」って言うんだけど、そういうストレスが強い時？　そういう時に「いじめたくなる気持ち」が起きるんじゃないかと思うんだけど。

ふーむ。

そういうストレスが強い時って、だれでも不安な気持ちが強くなって安心感がなくなったり、自分に自信がなくなったり、自分にはなにかできるって気持ちもなくなったりって、そんな気持ちになると思うんだよね。それって、その人の「安心の権利(けんり)」とか「自分の価値(かち)を実感できる権利(けんり)」とか「自分で決め・自分の意思を尊(そん)重(ちょう)される権利(けんり)」がぐらぐらしてる状態(じょうたい)なんだと思う。

あー、前に話してくれたやつね。

そうそう。そういうストレスが強い時、手近にいる他人をいじめると「自分はこの人よりまし」「自分よりもっと下の存在(そんざい)がいる」って感じられてちょっとホッとするっていうか、ストレスが解消(かいしょう)できる気がするんだと思う。だから、いじめたくなる気持ちって、ストレスが強い時、自分の安心の権利(けんり)とかがぐらついてる時に、だれにでも……子どもだけじゃなくて、大人でも起きる気持ちだと思うよ。

ストレスでいじめたくなる気持ちになっていじめちゃうって感じはちょっとわかったかも。たしかに、あの子を置いて帰っちゃった日は、前の日「ゲームやりすぎ」って親に怒(おこ)られたとか、授業(じゅぎょう)で当たったのにうまく答えられなかったとか、いろいろおもしろくないこと続いてたかも……。

エピソード❸

いじめたくなる気持ちが起きた時、どうするか？

でもそしたら、またストレス強い時っていうか、いじめたくなる気持ちが起きたら、どうしたらいいのかな？

ストレスっていってもいろいろだし、人によってストレスに強い弱いもあるから、簡単には言えないけど……。じゃあ、イチ子さんは、こないだナナ子さんを置いて3人で帰った時って、どんな気持ちだった？

その時は、いい気味って気持ちだったと思うけど。あとでけっこう後味わるかった。自己嫌悪？

そうそう。ストレス強いからって、人にあたったり人をいじめたりしても、あとで後悔しちゃうこと多いよね。

たしかに。

ストレスがある状態の時だけど、その人の安心感とか、自分に価値があるっていう感じとか、自分で次の行動を選べる感じとか、どうなってると思う？

それは……よくない感じ？ 安心感とかあんまりないと思うし、自分に価値があるって感じじゃないと思うし……。

だよね。だから、ストレスが強い時、人を「いじめ」て一時的なストレス解消にはなっても、もとのストレスは変わらない。ホントに必要なのは、ぐらついてる「安心の権利」や「自分の価値を実感する権利」や「自分で決め・自分の意思を尊重される権利」を立て直すのに役立つ行動を考えて、実行することじゃないかな。

ぐらついてる権利を立て直す行動って？

それは一人ひとりによってちがうと思うけど。その人が自分で安心できる「居場所」ですごすってことかな。居場所っていっても、それも人によってちがうけど。自分だったら好きな音楽を聴いたり、本読んだりするかな。自分が好きだと思えるとか、自分らしくいられるような趣味とか。映画だったり、スポーツだったり、音楽だったり、料理だったり、ゲームだったりと、いろいろかな。そういうことに「自分の時間を使う」こと。あと、ある人にとっては「家族」が居場所かもしれないし、「心を許せる友だち」がそうかもしれないし、まったく別の人間関係ってこともあるかも。

なんとなくわかる。好きなことならいろいろあるし……、あの時も、そんなふうに考えて動いていたらちょっとちがったかな？

エピソード ❸

> まあ、わからないけどね。でも、こんどそんな時あったら試してみたら？

> やってみる！

ストレスを感じた時のリラックス法

▼

ストレスを感じた時に、リラックスする方法を身につけておくのはいいことだよ！　いろんな方法の中から、自分に合うものを見つけよう。

* てのひらをぐっとにぎって肩に力を入れてから、一気に力を抜く。これを何度かくり返すと力が抜けてくる。
* 深い腹式呼吸をくり返す。（下腹を引っこませながらゆっくり息を吐ききり、下腹をゆるませてお腹をふくらませながら息をできるだけたくさん吸う。これを何度かくり返すと落ちついてくる）
* ぬるめのお風呂に時間をかけて入る。
* 軽いスポーツをする。（ジョギングや筋トレなど）
* ストレッチをしたり、マッサージしたりする。
* 日記などに自分の気持ちを書いてみる。
* だれかにグチをこぼす。
* 絵を描いたり、好きな音楽を聴いたりする。
* 動物とふれ合う。

人権が傷つけられると、ほかの人の人権を大切にできなくなる

　だれでも、自分がイライラしていたり、ストレスを感じている時に、いじめたくなる気持ちになってしまうっていうことがわかったね。それは、いじめだけではないんだ。

　たとえば、親や大人たちが子どもに暴力をふるったり、ひどい言葉で、体や心を傷つけてしまう、「児童虐待」って知っているかな？「児童虐待」も、子どもたちの人権を侵害する、ぜったいにしてはいけないことなんだ。

　でも、「児童虐待」をしてしまう親や大人たちも、自分自身でこんな悩みをかかえていることが知られているよ。

- ひとりぼっちで子育てをしている。
- 自分に自信がない。
- 自分はダメな親だと感じている。
- ほかの人から暴力を受けたり、傷つけられたりしている。
- お金がなくて困っている。

　これを見ると、実は、「児童虐待」をしてしまう人も、自分の人権──「安心の権利」「自分の価値を実感できる権利」「自分で決め・自分の意思を尊重される権利」が、傷ついていることがわかるね。

　自分の人権が傷ついた状態だと、ほかの人の人権を大切にすることがとてもむずかしくなって、本当はよくないとわかっていても、人権侵害をくり返してしまうこともあるんだよ。

　いじめにも同じことがいえる。

　だから、まず、自分の人権を大切にすることが、大切な人を守ることにもなるんだ。

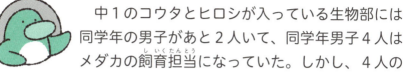

エピソード ❹

登場人物：**コウタ（中学1年生）・弁護士（三坂）**

中1のコウタとヒロシが入っている生物部には同学年の男子があと2人いて、同学年男子4人はメダカの飼育担当になっていた。しかし、4人のうちススムは決めたエサやりなどをさぼることがあって、リーダー的なヒロシや他のメンバーからも文句を言われていた。

文化祭で飼育観察結果を発表することになった時も、ススムは役目を果たさず、しかたなく残り3人で発表の展示物を仕上げた。文化祭後に展示を顧問の先生がほめたところ、ススムは自分もやりましたという感じで「大変でしたよ」などと答えたため、ヒロシはその態度にキレてしまい、4人だけになった時に「おまえホント、セコイんだよ！」とどなり、ススムから話しかけられてもシカト、4人のLINEトークでもススムの発言にはいっさいレスをしないなどの態度をとるようになった。

三坂：いらっしゃい。きょうは2人でありがとう。きみがコウタさん。イチ子からちょっと聞いたよ。学校で困ってるって？

コウタ：はい。

じゃあさっそく話を聴かせてくれる？　イチ子さんはいっしょじゃないほうがいいかな？

4章　「いじめ」てしまったときどうする？

はい。ちょっと立ち入った話もあるし……。

個人情報だしコウタさんのプライバシー権もあるからね。じゃあイチ子さんは奥の部屋で待っててね。

――コウタ、弁護士に生物部でのトラブルを説明する。（冒頭参照）

……という感じになっちゃって。いま、ヒロシは、ススムを許せないって言って、かんぜんムシしてるんです。ススムは最初はヒロシに謝ったりしてたんですけど、ヒロシがぜんぜん変わらないんで、最近元気ない感じで、ときどき学校休んだりしてます。

それは困ったね～。

相手のほうが先に悪いことをした時でも、いじめになる？

↓

もとはといえばススムがちゃんとやんなかったり、そのくせ先生にはウソついたりしたからなんだけど。それでもヒロシがやったこと、いじめなんですか？

エピソード ❹

コウタさんから見て、ススムさんは今どんな状態に見える？

前みたいに楽しそうじゃなくて、つらそうかな。

ススムさんが元気ない感じで、学校休んだりしてるのがヒロシさんの態度のせいだとしたら、もともとの言動がよくなかったとしても、ススムさんの心や体に苦痛を与えることはいじめになると思うよ。

でもヒロシがススムのことを「許せない」と思ったのはぼくも同感で、ススムの態度に腹を立てるのはしかたないと思うんですけど。

それはその通りだね。ススムさんの態度についてのヒロシさんやコウタさんの気持ちはおかしくない、というか当然だと思う。

ただ、ヒロシさんが許せないと思った気持ちには共感するけど、そのあとススムさんをどなりつけたり、いっさい無視する態度を続けたりしてることには共感できないな。ヒロシさんが取ってる態度は、ススムさんの人権、「安心の権利」、「自分の価値を実感できる権利」、「自分で決め・自分の意思が尊重される権利」をこわしてる可能性が高いと思う。

> 相手が先に悪いことをした時はどうしたらいいか？

 ……。だったら、どうすればいいのかな？

じっさいにその場にいたわけじゃないから、かんたんには言えないけど……、ススムさんの態度を許せないと思ったとしても、リアクションとして、人権をこわすような行動じゃなくて、許せないと思った自分たちの気持ちをしっかり整理してからススムさんに伝えるとか、それを自分たちだけでやるのがむずかしそうだったら、顧問の先生やほかの信頼できる先生に相談して、気持ちを伝える機会をつくってもらうとか、とにかくススムさんの人権をこわさない伝え方をくふうするっていう選択肢はあるんじゃないかな。

 そうか。むずかしそうだけど、ススムのことを考えたらそのほうがいいかも。

 ヒロシさんも、ススムさんが学校に来られなくなったりしてもいいとは思ってないんじゃないかな。

 そうかもしれない……。ヒロシともちょっと話してみます。

エピソード ❹

> **友だちが他の人にいじめをしている時、自分はどうしたらいい？**

あと、もう1つ、聞きたいことがあるんですけど。ヒロシとススムがケンアクになっちゃってから、ヒロシは、ぼくがススムと話しててもおもしろくなさそうなんで、だんだんこっちもススムとからみづらくなってて……。ぼくはどうしたらいいのかなって。

コウタさんとしてはどうしたいと思ってるの？

ほんとは、前みたいに、4人でフツーに仲良くできたらいいんだけど……。自分としてはヒロシほどムカついてるわけじゃないんで、ススムともこれまでどおりに話したりしてもいいと思ってるかな。

じっさいそうしてる？

いや。ススムを避けてる感じになってる。ふつうに話してたりすると今度はヒロシとの関係まずくなりそうなんで……。もう1人のマサキもそんな感じ。でも、そのことでススムは、ヒロシだけじゃなくて、ぼくらからも避けられてると思ってる気がする。

そうだとしたら、コウタさんたちの行動も、ススムさんの人権をこわす一因になってるかもしれないね。
　たとえばこうするのは？　ヒロシさんがいる前ではススムさんにかかわらない態度をとって、ヒロシさんがいないところではできるだけやりとりをするとか…。

うーん、けっこうハードル高い。

　じゃあ、少なくとも、ススムさんと2人の間でのLINEのやりとりはするとか、目が合った時とかは、自分は前と変わってないと態度で示すとか……。

あー。それくらいならできるかな〜。

　とにかく、コウタさんたちはススムさんのことを拒否してないっていうことをいろんなかたちで伝えることがダイジだと思う。それはススムさんの安心の権利とか自分に価値があるって実感できる権利をこわさないことになるんじゃないかな。今、コウタさんがむりしないでできそうなことを考えてみたらどう？

なるほど……。そこはよくわかりました。ちょっと気が軽くなりました！

第 5 章

「いじめ」がまわりで起きたらどうする？

いじめがまわりで起きたら？

登場人物：ノゾミ（中学1年生）・ツバサ（小学4年生）
弁護士（加藤）

　きみのクラスでいじめが起きた時、いじめている人と、いじめられている人がいるよね。でも、ほかにもいるんじゃない？　もっとたくさんの人が。そう、それはいじめを見ている人たち……。

　2〜4章で、いじめは、いじめられている人の「安心の権利」「自分の価値を実感できる権利」「自分で決め・自分の意思が尊重される権利」をこわすもの、人権を侵害する行為だと教わったね。そしていじめている人も権利をこわされている状態かもしれないことも。

　でも、それだけじゃない。いじめは、それを見ている人たちの権利をも傷つけているんだ。この章では、そのことを考えていくよ。

＊**いじめ防止法3条2　ほかの子どもがいじめられている時に見て見ないふりをしないことを目指します。（12ページ）**

＊関連する法律の条文を概略で紹介しています。くわしくは該当ページを見てください。

直接いじめられたわけではないけれど……
（ノゾミの場合）

ノゾミさん、最近学校に行きたくないんだって？学校でなにかいやなことがあったのかな？

加藤

私がなにかされているわけじゃないけど、クラスの雰囲気が悪くて、授業中もおちつかないんです。仲のよい友だちのヒカリは、授業中に積極的に手をあげて発言するし、クラスでもたのもしい存在なんだけど、まわりにもきびしくて……。
サクラっていう、ちょっと空気が読めないマイペースな子がいて、なにか言うたびに、ヒカリが「時間ないからよけいなこと言わないで」とか、「なに言ってるのかぜんぜんわからない」とか言うんです。

ノゾミさんもサクラさんには声をかけにくいのかな？

サクラに近づくと、ヒカリたちがこっちを見てこそこそ話をするから話しかけづらい。サクラだって話せばおもしろいところもあって、私はきらいじゃないんです。サクラに声をかけられない自分がいやだし、なんてひどい人間なんだって思う。

　サクラさんは、クラスで１人でいるうえに、なにか話すと友だちに責められるとしたら、安心して学校に来られないし、自分が大切にされているとは思えないだろうね。それに、友だちと好きな時に話もできないということは、自分の気持ちや意思のままにふるまうこともできない。その状態は、サクラさんの人権が傷つけられていることになるね。

やっぱり？ ヒカリたちのやっていることは、いじめだと思うんだけど、しかえしがこわくて……。

　自分もなにか言われるんじゃないかと不安なんだね。そしてサクラさんを助けてあげられない自分を責めてつらくなったりしているんだね。
　それって、ノゾミさんの「安心の権利」「自分の価値を実感する権利」「自分で決め・自分の意思が尊重される権利」も傷つけられているってことになるね。いじめは、いじめを見ているまわりの人の人権も傷つけているんだよ。

そうなんですね！ 私がいじめられているわけじゃなくても、私の人権も傷つけられているんだ。

　そう、今のクラスの状態をどう思っているかまわりの人にも聞いてごらん。ノゾミさんと同じように、「いやだな」「不安だな」「つらいな」と思っている人がいたら、みんなが安心してのびのびとすごせるクラスにするためにどうしたらいいか、相談してみたらどうかな。1人でいじめに立ち向かうのはむずかしいけど、友だちといっしょなら考えられるでしょう？

はい。いやだなって思ってる人、もやもやした気持ちでいる人、ぜったい私1人じゃないと思う。ちょっと元気が出てきました！

いじめはなぜ続いていくんだろう
（ツバサの場合）

ツバサくん、なんだか浮かない顔しているね。友だちとけんかでもした？

仲よしのハヤテが、転校してきたヒビキのことをなにかにつけていじるんだよね。まわりのみんなもおもしろがって笑ってるんだ。

「いじる」って、たとえばどんなことするの？

ヒビキはちょっと太っているから、ハヤテは「だるま、だるま」って呼ぶんだ。このあいだは、「みんなで『だるまさんがころんだ』やろうぜ！」って言って、数人でヒビキをこづいてころばせてた。ヒビキはとても悲しそうな顔していたんだ。

ヒビキさんはそんなふうに言われたり、されたりするのがいやだからだね。それで、きみやほかの子たちはどうしているのかな？

女子は、遠くから見てる。男子は、いっしょになってヒビキをつついたり、まわりでおもしろがってる。一度、見てられなくてハヤテに「やめろよ」って言ったら、「お前ノリ悪いなあ」って……。それから何も言えなくなっちゃって、今は、ぼくも近くでへらへらして見てるんだ……。

「やめろよ」って言ったんだね、なかなかできることじゃないと思うよ。それなのに今はなにもできなくて、つらいんだね。ところで、まわりの人がいっしょになってやったり、おもしろがって見ていたら、いじめをしている人はどんなふうに感じると思う？

みんなに「うけてる」って思うかな……。

そう。自分のやっていることがみんなに受け入れられていると思うだろうし、みんなもヒビキさんをいじめたいと思っていると、かんちがいするかもしれない。そうなるとどうなる？

ハヤテはますます調子にのって、ヒビキがいやがることをやめない。

そうだね。同じようなことをくり返したり、行為がエスカレートしていくかもしれない。最初は言葉だけでからかっていたのが、いやがることを無理やりさせたり、壁に体をぶつけたり、ケガをするような激しい行為になっていくこともある。まわりの人がおもしろがったり、同調するような態度で見ていれば、いじめはなくならないし、時にはエスカレートしてしまうんだね。

ぼくは、ヒビキがつらそうにしているのを見たくないし、できれば仲よくしたいんだけど……。

それなら、いじめをはじめた時にまわりの人がその場からいなくなったら、いじめている人はどんな気持ちになると思う?

なんかまずいことしてるのかな、って思うかも。

そうだね。自分がやっていることにだれも賛同してくれなかったり、いっしょになっておもしろがってくれなかったら、自分がやっていることが受け入れられてないと感じるだろうね。そうするといじめをしにくくなる。もっと言えば、まわりの人たちが自分を批判的な態度で見ていることがわかれば、もっといじめにくくなるんじゃないかな。

うん、自分だけが「浮いてる」と感じるかも。

 言葉で「やめろ」と言えなくても、態度で「自分は賛成しないよ」と伝えられれば、いじめをしにくい空気をつくることができるんだよ。しかも、1人じゃなくてみんながそういう態度で接したら、もっといじめにくくなるだろうね。

 でも、それだと、ぼくとハヤテの関係は悪くなるよね……。ハヤテはいいところもたくさんあるから、友だちでいたいんだ。

 わかるよ。でも、友だちがだれかをいじめている時に、「その行為はまちがっているよ」、「自分はいっしょになっていじめはしないよ」、と伝えることと、友だちでなくなることは別なんだよ。仲のよい友だちなら、「いじめでだれかを困らせても、それは本当に楽しいことじゃない」って伝えられないかな。もっと別なことで学校を楽しくする方法をいっしょに考えてみるのもいいかもしれないね。

 そうか、友だちはやめなくていいんだね。いろんな方法を教えてくれてありがとう。やってみるよ！

いじめは、クラスみんなの人権を傷つけている

　もし、きみがいじめている人でも、いじめられている人でもなく、そのまわりにいる人であったとしても、いじめを見ていて、「いごこちが悪いな」「かわいそうだな」と思っていたなら、きみの「安心の権利」「自分の価値を実感する権利」「自分で決め・自分の意思が尊重される権利」は傷つけられているんだ。きみには、いじめのない教室で安心してのびのび楽しく勉強をする権利があるし、学校で自分に自信をもって自分らしくすごす権利がある。また、自由にだれとでも交流する権利があるんだ。

　もし、その権利が傷つけられていると感じたら、クラスで起こっているいじめは、きみの問題でもある。きみの立場から、いじめに向き合ってみることが大切だ。

　そうは言っても、目をつけられるようなことをしたら、次は自分がターゲットになるのではないかと思うと、こわいよね。きみが行動を起こせないとしても、いじめを見なかったことにするのではなく、自分にできることはないかな……と考えてみることは大事だよ。

　いじめを止めさせる方法は、いじめっ子に対して「いじめをやめろ！」と言ったり、「いじめは悪いことだよ」と伝えて、いじめをすぐにやめさせることだけではないよ。ささいなこと、間接的なこと、すぐに気づかれないことでもいい。きみが考え、なにかをすることは、きみを、まわりを、少しずつ変えていくことになる。

　たとえば、次のようなことは、きみが「もしかしたらできること」ではないかな？

1）いじめに参加しない

　「いっしょにからかおう」とさそわれたら、「用事があるから」など、なにか理由をつけてその場をはなれるんだ。つまり、いっしょになっていじめをしないということ。

ヒビキのケースで言えば、ハヤテから「ヒビキに『たこおどり』させたら受けるんじゃねえ？」と言われても、「どうかなあ」とか「うーん」と言いながら、さりげなくその場をはなれる。または「あんまり興味ないな」などとつぶやいてみる。

　どんな方法でもいいから、いじめには加わらないという態度を表してみるんだ。

＊いじめ防止法４条　子どもたちは、いじめをしてはいけません。（14ページ）

２）大人にいじめを伝える

　「いじめ」が子どもたちだけではどうにもならない状態になった時は、そっと先生や信頼できる大人に伝えることも考えてみよう。「そっと」というのは、友だちがいない時を見はからって先生に話をするか、先生にメモを書いて渡すという方法もある。

　担任の先生に話せなかったら、保健室の先生などにたのんで担任の先生に話してもらったり、匿名のメモをわたしてもらったりという、もっと安全な方法もあるよ。

　いじめを受けている人は、自分から「いじめられている」とだれかに相談するのがむずかしいんだ。「だれにも言うなよ。言ったらもっといじめてやるからな」とおどされている場合もあるし、いじめられているうちに気持ちが弱くなったり、自信を失ったりして、相談するという行動を起こせないこともある。だから、そんな本人に代わって、いじめに気づいた人が大人に話すのも、いじめに向き合う１つの方法だよ。

　「それは『チクリ』だ」と言われるかもしれないね。「チクリ」というのは「告げ口」のことだよ。だれかをおとしめたり、自分が評価されたいために、人のことを悪く言うのが「チクリ」だ。

　「安心の権利」「自分の価値を実感する権利」「自分で決め・自分の意思が尊重される権利」を傷つけるいじめが起きている時に、いじめられている人を心配したり、それを解決するために大人に話すことは、告げ口でも「チクリ」でもない。

　でも、勇気を出して話しても、大人が何もしてくれない場合もあるか

126

もしれない……。「そんな大げさなことじゃない」と言って取り合ってくれなかったり、「子どもどうしで解決しなさい」、と言ったり……。

　もし、そうなってもあきらめないで。べつの大人に話してみよう。きみの話をちゃんと聞いてくれる大人をさがすんだ。たとえば、担任の先生が話を聞いてくれなかったら、保健室の先生やスクールカウンセラーの先生に話す。親が話を聞いてくれたら、親から先生に話してもらうこともできる。校長先生や信頼できる先生に手紙を書くこともできる。

　ふだんから、きみの話をちゃんと聞いてくれる大人をさがしておくといいね。きっと、きみのまわりには、そんな大人が何人かはいるんじゃないかな。それでも、だれも見つからなかったら、いじめの問題にくわしいカウンセラーや弁護士に電話相談をしてみるという手もあるよ。きみたちからいじめの相談を受けた大人は、ちゃんと対応するように法律でも決まっているからね。

　＊いじめ防止法8条　学校と学校の先生は、学校内で子どもがいじめを受けているかもしれないと思ったら、すばやく行動する必要があります。（18ページ）
　＊いじめ防止法9条 2　保護者は自分が保護する子どもがいじめを受けた場合には、しっかりと、いじめから守らないとなりません。（19ページ）
　＊いじめ防止法22条　学校は複数の教員と、心理や福祉に専門的な知識をもった人を入れた、いじめ防止対策のための組織をつくらなくてはなりません。（37ページ）

3）友だちと協力をする

　いろいろな調査でわかっていることがある。それは、ほんとうはだれもがいじめがなくなればいいと思っているってこと。クラスのみんなが、「いじめはいやだ」「いじめはなくしたい」と思っているのに、行動に移

せないでためらっているのだとしたら……。

　秘密を守れる仲のよい友だちと、クラスで起きているいじめについて話してみるのはどうだろう。毎日、どんな気分でいじめをみているのか、まずは自分の感じていることを伝えてみるんだ。つらい、苦しいといった気持ちを伝えるだけでもいい。
　友だちも同じ気持ちなら、なにかできることがあるかいっしょに考えてみよう。さらに仲間になってくれそうな友だちに、声をかけてみよう。

　ほかにもこんなアイディアもあるよ。
＊困っていることを相談できるポストを先生につくってもらう（先生だけが開けられる）。
＊先生にいじめについて書かれている本を読む機会をつくってもらい、クラスで感想を発表しあう。
＊きみの学校の「いじめ基本方針」になにが書かれているか、先生に聞いてみんなで共有する。
＊スクールカウンセラーや保健室の先生に相談をする。
＊友だちといっしょに、いじめられている子に「おはよう」とか「またあしたね」と、あいさつをする。
＊みんなでいっしょに、先生に話しに行く。親が力を貸してくれそうだったら、それぞれ自分の親に話してみるのもいいかもしれない。
＊電話相談に電話をかけ、いじめのことを話してみる。相談の答えをみんなで知るというのも1つの方法だ。

＊いじめ防止法13条　学校はいじめ防止基本方針を定めなくてはなりません。（23ページ）

4）いじめられている人の支えになる

　いじめられている人は苦しんでいても、表面はなんでもないようにし

ていることも多い。でも、毎日悪口を言われたり非難されたり、無視されたりしていると、いじめられるのは自分が悪いからだと思いこんだり、自分はだれにも大切にされていない、自分なんか生きている価値はないと感じたりして、そのつらさや苦しさはだんだん心にたまっていく。つらさや苦しさでパンパンになった心は、ある時パンクしてしまうこともあるんだ。そうなったら、学校に来られなくなったり、時には死んでしまいたくなることもある。

　そんなふうに追いつめられないために、いじめのまわりにいる人たちには、いじめられている人のつらさや苦しさをへらすことができるんだよ。たとえば、仲間はずれにされている人がいたら、目があった時にほほえむだけでいい。うなずいてもいい。教室を移動する時に、さりげなくいっしょに歩いたり、そっととなりの席にすわってもいい。ひとりぼっちじゃないよ、と知らせるだけでいいんだ。

　みんなの前でころばされた人には、手をさしのべたらいい。その人が味わったみじめさが、少しでもやわらぐんじゃないかな。気持ちは伝わるものだよ。

　いじめっこたちから目をつけられてしまうと心配なら、だれもいない時を見はからって、こっそり話しかければいい。

　１人でできなかったら、友だちといっしょにやろう。きっと、同じことを考えている人がクラスにいるはずだ。べつのクラスでも、先輩でも、いじめがいやだと思っていて、だれかの力になりたいと思っている人をさがしてみよう。きっと見つかるよ。

＊いじめ防止法23条 5　学校は、いじめを受けた子どもやその保護者の支援をしなくてはなりません。また、いじめをした子どもへの指導や、その保護者への助言をしなくてはなりません。（39ページ）

5章　「いじめ」がまわりで起きたらどうする？

読んでみよう

いじめは、まわりの人の人権も傷つけるという話が出てきたけれど、その傷は大人になっても消えないことがあるんだ。

ぎゃくに、まわりの人が勇気を出してやったこと、言ったことで、クラスでいじめが起きにくくなったり、いじめられている人の支えになれることがあるよ。次の話を読んで考えてみてね。

葬式ごっこという「いじめ」

1986年に東京都内の中学校で、いじめを受けていた当時中学2年生の男子生徒が自死しました。クラスの男子生徒の1人が、校庭に実っていた夏みかんを見て「仏壇の供え物みたいだな」と言ったのがきっかけで、「●●の葬式ごっこをしようぜ」ということになりました。黒板には葬式の時の白黒の幕が描かれ、いじめられていた生徒の机には花やローソク、夏みかんが供えられました。そして、「●●君さようなら」と書かれた色紙には、クラスのほとんどの生徒が別れの言葉を寄せ書きしました。書かなかったのはわずかに女子数名だけでした。生徒の多くは、特に深く考えずに書きました。

それを見た男子生徒は、顔では笑いながら涙を流していました。その数か月後に男子生徒は自ら命を断ってしまいました。

この事件を取材した新聞記者が、8年後にまわりで「いじめ」を見ていた生徒たちを取材して本を出しました。本によると、生徒の中には軽い気持ちでいじめる側に加担してしまったこと、いじめだと知りながら何もしなかったことについて、自分を責め続けている人や心の病にかかった人もいたそうです。

この「葬式ごっこ」の事件からわかることは、いじめはいじめられた人だけではなく、まわりの人の心にも簡単には消せない傷をあたえるということです。

20年後の手紙

　少女Mは、１学年１クラスしかない田舎の小学校に通っていました。女子生徒の中にボス的存在がいて、小学３年生ころから、同じクラスの女子数人をしたがえて、いじめをするようになりました。ボスのグループの女子も、いじめを受ける女子も、ボスの女子生徒が言うままにとっかえひっかえされます。

　小学５年生になると、ある１人の女の子だけがいじめられるようになりました。少女Mも他の女子も、これで自分がいじめられることはないと、少しほっとしました。

　いじめは、悪口や無視することから始まり、やがて、その女の子の物をかくしたり、こわしたりするようになりました。少女Mも、ボスの女子に言われるままに、いじめに加わっていました。

　12月の終業式の日、学校で作った工作を持ち帰ることになりました。ボスの女子は、女の子が通るトンネルの上でまちぶせをして、工作をこわすために石を投げることをたくらみました。少女Mは、ボスの女子に命令されても、さすがに人に向かって石を投げることはできず、ただようすを見ているだけでした。

　すると突然、女の子が頭をおさえてしゃがみこみました。少女Mが思わず女の子にかけよると、女の子のおでこが切れて血が出ていました。少女Mはハンカチを女の子の額にあて、もう片方の手で女の子の肩をだいて、「帰ろう」と歩きだしました。ボスの女子は、「偽善者！」とののしりました。

　それから20年以上たったある日、少女Mは１通の手紙を受け取りました。額に傷をおった女の子からの手紙でした。少女Mが結婚すると聞いて、おいわいの手紙を送ってくれたのです。手紙には、おいわいの言葉とともに、こんな言葉が書かれていました。

　「あの日、あなたがいっしょに帰ってくれたこと、一度も忘れたことはありません。あなたがあの日いっしょに帰ってくれたから、私は生きることができました」。

おわりに（大人のみなさんへ）

　この本で解説をした「いじめ防止対策推進法」は、大津市で起きた凄惨ないじめによる中学生の自死事件をきっかけに、2013年に制定されました。

　この事件以前にも、いじめによる自死は繰り返し全国で起きており、子どもの発するSOSに大人がきちんと対応しないと、子どもの命があっというまに失われてしまうことがわかっていましたが、この事件によってあらためて周囲の大人の責任の大きさが浮き彫りになりました。

　この法律は、いじめによって子どもの命が失われることがないよう、子どもを取り巻く全ての大人がきちんといじめにかかわる責任があることを定めています。すなわち、大人には、いじめが起きにくい環境を整えること（いじめ防止）、いじめを見逃さないこと（早期発見）、起きているいじめに適切に対応すること（いじめ対応）が求められています。

　ところで、この法律の第2条には、いじめの定義が定められています。この法律が、いじめを見逃さないこと、いじめを見つけたら放置せずすぐに対応することを目指しているため、いじめの定義は非常に広いもの

になっています。その行為が犯罪に該当するような場合や悪意をもって相手を傷つけた場合だけでなく、まったく悪気なくとった態度がたまたま相手を傷つけてしまった場合も含めて、「被害」側が心身の苦痛を感じることになった場合の全てを「いじめ」という言葉でとらえることにしています。

　冒頭で述べたように、「いじめ」が起きている時に大人がきちんとかかわらないと、子どもが命を失う事態にまで至ってしまうことがあるため、どんな小さな「いじめ」であっても、あるいは「いじめ」に発展しかねない子どもどうしのトラブルであっても、子どもがSOSを発している時に大人が見て見ぬふりをすることは許されません。ただし、その一方で、多様な行為を含む「いじめ」に一律に厳罰をもって対応することが、かえって子どもたちの安心・安全を損ね、健全な成長発達の機会を奪うことになる場合もあります。

　そこで重要になるのが、広く定義された「いじめ」にあたるとしても、具体的に起きている「いじめ」がどういった内容・性質のもので、どのような背景事情があるのかを見極め

たうえで適切に対処することです。

　学校という場所は、性格も生活環境も違う子どもたちが集まってきます。コミュニケーション能力がまだ十分に発達していない成長課程においては、それぞれの違いにうまく対処できず、他の子どもとぶつかってしまうことも少なくありません。このような場合に、広い意味の「いじめ」に当たる場合でも、これを「いじめる側」「いじめられる側」という加害・被害の対立構造でとらえて対処すると、かえって事態の悪化を招きかねない場合も少なくありません。また、加害・被害の対立構造でとらえてしまうことで、子どもたちが他者とのぶつかり合いの中で、違いを受け入れる力やコミュニケーション能力を育てていく機会を奪うことにもなりかねません。

　他方で、「いじめ」に当たる行動をした子どもの中には、家庭内での虐待や親からの過剰な期待、勉強の遅れ、学校生活の中の過度の管理や競争的空気の息苦しさなどに起因するストレスを抱えて、誰かを傷つけることでそのストレスを解消している場合もあります。このような場合には、その行為が他者の人権を傷つけていることをきちんと教えるとともに、その子どもが抱えているストレスを保護者や教師などの周囲の大人が受け止め、子どもの受けているストレスやその原因についてケアすることが求められます。そうしたケアをすることなく、たんに「いじめ」行為の反省を迫る指導だけでは、その子どもの「いじめ」行為の原因はそのまま残ることになり、行為が繰り返されることになりかねません。

　法律が「いじめ」に対して求めている適切な対応とは、このように事案ごとに正確な見立てを行い、必要な手立てをとることだと私たち弁護士は考えています。

　そして、もう1つ重要なことは、手立てを講じる際には、特に心身の苦痛を感じている当事者である子どもの話をしっかりと聞き、その意思・意向をできるだけ尊重するということです。

　この本の中で紹介した「子どもの権利条約」は、子どもたちが自分にかかわる事柄について自由に意見・意向を表明し、年齢や成長段階に応じてその意見・意向が尊重される権利を保障しています（12条）。

　保護者としては、自分の子どもが学校で「いじめ」を受けたと聞くと、いてもたってもいられない気持ちになり、「いじめ」をしたとされる子どもを厳しく罰することを求めがちです。しかし、すでに述べた通り、法律が定める「いじめ」はさまざま

な態様のものを含んでおり、また「いじめ」による苦痛を受けている子ども本人の思いもさまざまで、必ずしも「いじめ」た側の子どもの厳罰を望んでいないこともあります。むしろ、周囲の大人のサポートを受けながら関係修復することを望んでいるかもしれません。

また、学校は、いじめの可能性がある場合速やかに調査を行う必要がありますが、どのような形で調査を進めるかを含め、いじめを受けた子どもがどうしたいと考えているのか、その意見にきちんと耳を傾ける必要があります。大人たちが子どもの意思を置き去りにして、大人側の判断だけで動くのではなく、子どもの意思を尊重しながら解決策を考えていく姿勢が重要です。

最後に、「いじめ」の問題を考える時、一人ひとりの子どもに守られるべき人権があることを、子どもたち自身に、そして大人の皆さんにも、知ってほしいと思います。「いじめ」は、「いじめ」を受けている子どもだけでなく、周りの子どもの人権も傷つけます。また、「いじめ」をしている子どもに、その子どもの人権が傷つけられている背景が存在することもあり、子どもとかかわる大人の言動によって、また学校教育での管理や競争によって、子どもの権利・人権が損なわれている場合があることについても意識することが求められています。

子どもたちには、安心して、ありのままの自分で生きている価値があると実感でき、自分の思いや考えを述べてこれを尊重される権利があります。人権が傷ついている時、子どもたちはこれを回復するために、自ら声を出し行動する権利があり、大人に対して、傷ついた人権を回復するための対応を求める権利があります。そして、大人はこれを受けとめて子どもの人権を守るために応答することが求められます。

本書には、「いじめ防止対策推進法」の規定や、法律の基本にある子どもたちの人権について書かれており、また子どもが様々な立場でいじめにかかわることになった場合にどうすれば良いかについても言及しています。

子どもたちが、本書を通じて自分たちが人権の主体であることを知り、いじめによって人権が傷つけられている時に、周りの大人に思いや考えを伝えながら行動するための、そして大人がこれを適切にサポートするための一助となれば幸いです。

（佐藤香代、三坂彰彦、加藤昌子）

いじめ防止対策推進法（平成25年法律第71号）

文部科学省HPより
https://www.mext.go.jp/a_menu/shotou/seitoshidou/1406848.htm

第一章　総則

（目的）

第一条　この法律は、いじめが、いじめを受けた児童等の教育を受ける権利を著しく侵害し、その心身の健全な成長及び人格の形成に重大な影響を与えるのみならず、その生命又は身体に重大な危険を生じさせるおそれがあるものであることに鑑み、児童等の尊厳を保持するため、いじめの防止等（いじめの防止、いじめの早期発見及びいじめへの対処をいう。以下同じ。）のための対策に関し、基本理念を定め、国及び地方公共団体等の責務を明らかにし、並びにいじめの防止等のための対策に関する基本的な方針の策定について定めるとともに、いじめの防止等のための対策の基本となる事項を定めることにより、いじめの防止等のための対策を総合的かつ効果的に推進することを目的とする。

（定義）

第二条　この法律において「いじめ」とは、児童等に対して、当該児童等が在籍する学校に在籍している等当該児童等と一定の人的関係にある他の児童等が行う心理的又は物理的な影響を与える行為（インターネットを通じて行われるものを含む。）であって、当該行為の対象となった児童等が心身の苦痛を感じているものをいう。

2　この法律において「学校」とは、学校教育法（昭和二十二年法律第二十六号）第一条に規定する小学校、中学校、義務教育学校、高等学校、中等教育学校及び特別支援学校（幼稚部を除く。）をいう。

3　この法律において「児童等」とは、学校に在籍する児童又は生徒をいう。

4　この法律において「保護者」とは、親権を行う者（親権を行う者のないときは、未成年後見人）をいう。

（基本理念）

第三条　いじめの防止等のための対策は、いじめが全ての児童等に関係する問題であることに鑑み、児童等が安心して学習その他の活動に取り組むことができるよう、学校の内外を問わずいじめが行われなくなるようにすることを旨として行われなければならない。

2　いじめの防止等のための対策は、全ての児童等がいじめを行わず、及び他の児童等に対して行われるいじめを認識しながらこれを放置することがないようにするため、いじめが児童等の心身に及ぼす影響その他のいじめの問題に関する児童等の理解を深めることを旨として行われなければならない。

3　いじめの防止等のための対策は、いじめを受けた児童等の生命及び心身を保護することが特に重要であることを認識しつつ、国、地方公共団体、学校、地域住民、家庭その他の関係者の連携の下、

いじめの問題を克服することを目指して行われなければならない。

（いじめの禁止）
第四条 児童等は、いじめを行ってはならない。

（国の責務）
第五条 国は、第三条の基本理念（以下「基本理念」という。）にのっとり、いじめの防止等のための対策を総合的に策定し、及び実施する責務を有する。

（地方公共団体の責務）
第六条 地方公共団体は、基本理念にのっとり、いじめの防止等のための対策について、国と協力しつつ、当該地域の状況に応じた施策を策定し、及び実施する責務を有する。

（学校の設置者の責務）
第七条 学校の設置者は、基本理念にのっとり、その設置する学校におけるいじめの防止等のために必要な措置を講ずる責務を有する。

（学校及び学校の教職員の責務）
第八条 学校及び学校の教職員は、基本理念にのっとり、当該学校に在籍する児童等の保護者、地域住民、児童相談所その他の関係者との連携を図りつつ、学校全体でいじめの防止及び早期発見に取り組むとともに、当該学校に在籍する児童等がいじめを受けていると思われるときは、適切かつ迅速にこれに対処する責務を有する。

（保護者の責務等）
第九条 保護者は、子の教育について第一義的責任を有するものであって、その保護する児童等がいじめを行うことのないよう、当該児童等に対し、規範意識を養うための指導その他の必要な指導を行うよう努めるものとする。
2 保護者は、その保護する児童等がいじめを受けた場合には、適切に当該児童等をいじめから保護するものとする。
3 保護者は、国、地方公共団体、学校の設置者及びその設置する学校が講ずるいじめの防止等のための措置に協力するよう努めるものとする。
4 第一項の規定は、家庭教育の自主性が尊重されるべきことに変更を加えるものと解してはならず、また、前三項の規定は、いじめの防止等に関する学校の設置者及びその設置する学校の責任を軽減するものと解してはならない。

（財政上の措置等）
第十条 国及び地方公共団体は、いじめの防止等のための対策を推進するために必要な財政上の措置その他の必要な措置を講ずるよう努めるものとする。

第二章 いじめ防止基本方針等

（いじめ防止基本方針）
第十一条 文部科学大臣は、関係行政機関の長と連携協力して、いじめの防止等のための対策を総合的かつ効果的に推進するための基本的な方針（以下「いじめ防止基本方針」という。）を定めるものとする。
2 いじめ防止基本方針においては、次

に掲げる事項を定めるものとする。

一　いじめの防止等のための対策の基本的な方向に関する事項

二　いじめの防止等のための対策の内容に関する事項

三　その他いじめの防止等のための対策に関する重要事項

（地方いじめ防止基本方針）

第十二条　地方公共団体は、いじめ防止基本方針を参酌し、その地域の実情に応じ、当該地方公共団体におけるいじめの防止等のための対策を総合的かつ効果的に推進するための基本的な方針（以下「地方いじめ防止基本方針」という。）を定めるよう努めるものとする。

（学校いじめ防止基本方針）

第十三条　学校は、いじめ防止基本方針又は地方いじめ防止基本方針を参酌し、その学校の実情に応じ、当該学校におけるいじめの防止等のための対策に関する基本的な方針を定めるものとする。

（いじめ問題対策連絡協議会）

第十四条　地方公共団体は、いじめの防止等に関係する機関及び団体の連携を図るため、条例の定めるところにより、学校、教育委員会、児童相談所、法務局又は地方法務局、都道府県警察その他の関係者により構成されるいじめ問題対策連絡協議会を置くことができる。

2　都道府県は、前項のいじめ問題対策連絡協議会を置いた場合には、当該いじめ問題対策連絡協議会におけるいじめの防止等に関係する機関及び団体の連携が当該都道府県の区域内の市町村が設置する学校におけるいじめの防止等に活用されるよう、当該いじめ問題対策連絡協議会と当該市町村の教育委員会との連携を図るために必要な措置を講ずるものとする。

3　前二項の規定を踏まえ、教育委員会といじめ問題対策連絡協議会との円滑な連携の下に、地方いじめ防止基本方針に基づく地域におけるいじめの防止等のための対策を実効的に行うようにするため必要があるときは、教育委員会に附属機関として必要な組織を置くことができるものとする。

第三章　基本的施策

（学校におけるいじめの防止）

第十五条　学校の設置者及びその設置する学校は、児童等の豊かな情操と道徳心を培い、心の通う対人交流の能力の素地を養うことがいじめの防止に資することを踏まえ、全ての教育活動を通じた道徳教育及び体験活動等の充実を図らなければならない。

2　学校の設置者及びその設置する学校は、当該学校におけるいじめを防止するため、当該学校に在籍する児童等の保護者、地域住民その他の関係者との連携を図りつつ、いじめの防止に資する活動であって当該学校に在籍する児童等が自主的に行うものに対する支援、当該学校に在籍する児童等及びその保護者並びに当該学校の教職員に対するいじめを防止することの重要性に関する理解を深めるための啓発その他必要な措置を講ずるものとする。

137

（いじめの早期発見のための措置）

第十六条　学校の設置者及びその設置する学校は、当該学校におけるいじめを早期に発見するため、当該学校に在籍する児童等に対する定期的な調査その他の必要な措置を講ずるものとする。

2　国及び地方公共団体は、いじめに関する通報及び相談を受け付けるための体制の整備に必要な施策を講ずるものとする。

3　学校の設置者及びその設置する学校は、当該学校に在籍する児童等及びその保護者並びに当該学校の教職員がいじめに係る相談を行うことができる体制（次項において「相談体制」という。）を整備するものとする。

4　学校の設置者及びその設置する学校は、相談体制を整備するに当たっては、家庭、地域社会等との連携の下、いじめを受けた児童等の教育を受ける権利その他の権利利益が擁護されるよう配慮するものとする。

（関係機関等との連携等）

第十七条　国及び地方公共団体は、いじめを受けた児童等又はその保護者に対する支援、いじめを行った児童等に対する指導又はその保護者に対する助言その他のいじめの防止等のための対策が関係者の連携の下に適切に行われるよう、関係省庁相互間その他関係機関、学校、家庭、地域社会及び民間団体の間の連携の強化、民間団体の支援その他必要な体制の整備に努めるものとする。

（いじめの防止等のための対策に従事する人材の確保及び資質の向上）

第十八条　国及び地方公共団体は、いじ

めを受けた児童等又はその保護者に対する支援、いじめを行った児童等に対する指導又はその保護者に対する助言その他のいじめの防止等のための対策が専門的知識に基づき適切に行われるよう、教員の養成及び研修の充実を通じた教員の資質の向上、生徒指導に係る体制等の充実のための教諭、養護教諭その他の教員の配置、心理、福祉等に関する専門的知識を有する者であっていじめの防止を含む教育相談に応じるものの確保、いじめへの対処に関し助言を行うために学校の求めに応じて派遣される者の確保等必要な措置を講ずるものとする。

2　学校の設置者及びその設置する学校は、当該学校の教職員に対し、いじめの防止等のための対策に関する研修の実施その他のいじめの防止等のための対策に関する資質の向上に必要な措置を計画的に行わなければならない。

（インターネットを通じて行われるいじめに対する対策の推進）

第十九条　学校の設置者及びその設置する学校は、当該学校に在籍する児童等及びその保護者が、発信された情報の高度の流通性、発信者の匿名性その他のインターネットを通じて送信される情報の特性を踏まえて、インターネットを通じて行われるいじめを防止し、及び効果的に対処することができるよう、これらの者に対し、必要な啓発活動を行うものとする。

2　国及び地方公共団体は、児童等がインターネットを通じて行われるいじめに巻き込まれていないかどうかを監視する関係機関又は関係団体の取組を支援するとともに、インターネットを通じて行わ

れるいじめに関する事案に対処する体制の整備に努めるものとする。

3　インターネットを通じていじめが行われた場合において、当該いじめを受けた児童等又はその保護者は、当該いじめに係る情報の削除を求め、又は発信者情報（特定電気通信役務提供者の損害賠償責任の制限及び発信者情報の開示に関する法律（平成十三年法律第百三十七号）第四条第一項に規定する発信者情報をいう。）の開示を請求しようとするときは、必要に応じ、法務局又は地方法務局の協力を求めることができる。

（いじめの防止等のための対策の調査研究の推進等）

第二十条　国及び地方公共団体は、いじめの防止及び早期発見のための方策等、いじめを受けた児童等又はその保護者に対する支援及びいじめを行った児童等に対する指導又はその保護者に対する助言の在り方、インターネットを通じて行われるいじめへの対応の在り方その他のいじめの防止等のために必要な事項やいじめの防止等のための対策の実施の状況についての調査研究及び検証を行うとともに、その成果を普及するものとする。

（啓発活動）

第二十一条　国及び地方公共団体は、いじめが児童等の心身に及ぼす影響、いじめを防止することの重要性、いじめに係る相談制度又は救済制度等について必要な広報その他の啓発活動を行うものとする。

第四章　いじめの防止等に関する措置

（学校におけるいじめの防止等の対策のための組織）

第二十二条　学校は、当該学校におけるいじめの防止等に関する措置を実効的に行うため、当該学校の複数の教職員、心理、福祉等に関する専門的な知識を有する者その他の関係者により構成されるいじめの防止等の対策のための組織を置くものとする。

（いじめに対する措置）

第二十三条　学校の教職員、地方公共団体の職員その他の児童等からの相談に応じる者及び児童等の保護者は、児童等からいじめに係る相談を受けた場合において、いじめの事実があると思われるときは、いじめを受けたと思われる児童等が在籍する学校への通報その他の適切な措置をとるものとする。

2　学校は、前項の規定による通報を受けたときその他当該学校に在籍する児童等がいじめを受けていると思われるときは、速やかに、当該児童等に係るいじめの事実の有無の確認を行うための措置を講ずるとともに、その結果を当該学校の設置者に報告するものとする。

3　学校は、前項の規定による事実の確認によりいじめがあったことが確認された場合には、いじめをやめさせ、及びその再発を防止するため、当該学校の複数の教職員によって、心理、福祉等に関する専門的な知識を有する者の協力を得つつ、いじめを受けた児童等又はその保護者に対する支援及びいじめを行った児童等に対する指導又はその保護者に対する

助言を継続的に行うものとする。

4 学校は、前項の場合において必要があると認めるときは、いじめを行った児童等についていじめを受けた児童等が使用する教室以外の場所において学習を行わせる等いじめを受けた児童等その他の児童等が安心して教育を受けられるようにするために必要な措置を講ずるものとする。

5 学校は、当該学校の教職員が第三項の規定による支援又は指導若しくは助言を行うに当たっては、いじめを受けた児童等の保護者といじめを行った児童等の保護者との間で争いが起きることのないよう、いじめの事案に係る情報をこれらの保護者と共有するための措置その他の必要な措置を講ずるものとする。

6 学校は、いじめが犯罪行為として取り扱われるべきものであると認めるときは所轄警察署と連携してこれに対処するものとし、当該学校に在籍する児童等の生命、身体又は財産に重大な被害が生じるおそれがあるときは直ちに所轄警察署に通報し、適切に、援助を求めなければならない。

（学校の設置者による措置）
第二十四条 学校の設置者は、前条第二項の規定による報告を受けたときは、必要に応じ、その設置する学校に対し必要な支援を行い、若しくは必要な措置を講ずることを指示し、又は当該報告に係る事案について自ら必要な調査を行うものとする。

（校長及び教員による懲戒）
第二十五条 校長及び教員は、当該学校に在籍する児童等がいじめを行っている場合であって教育上必要があると認めるときは、学校教育法第十一条の規定に基づき、適切に、当該児童等に対して懲戒を加えるものとする。

（出席停止制度の適切な運用等）
第二十六条 市町村の教育委員会は、いじめを行った児童等の保護者に対して学校教育法第三十五条第一項（同法第四十九条において準用する場合を含む。）の規定に基づき当該児童等の出席停止を命ずる等、いじめを受けた児童等その他の児童等が安心して教育を受けられるようにするために必要な措置を速やかに講ずるものとする。

（学校相互間の連携協力体制の整備）
第二十七条 地方公共団体は、いじめを受けた児童等といじめを行った児童等が同じ学校に在籍していない場合であっても、学校がいじめを受けた児童等又はその保護者に対する支援及びいじめを行った児童等に対する指導又はその保護者に対する助言を適切に行うことができるようにするため、学校相互間の連携協力体制を整備するものとする。

第五章　重大事態への対処

（学校の設置者又はその設置する学校による対処）
第二十八条 学校の設置者又はその設置する学校は、次に掲げる場合には、その事態（以下「重大事態」という。）に対処し、及び当該重大事態と同種の事態の発生の防止に資するため、速やかに、当

該学校の設置者又はその設置する学校の下に組織を設け、質問票の使用その他の適切な方法により当該重大事態に係る事実関係を明確にするための調査を行うものとする。

一　いじめにより当該学校に在籍する児童等の生命、心身又は財産に重大な被害が生じた疑いがあると認めるとき。

二　いじめにより当該学校に在籍する児童等が相当の期間学校を欠席することを余儀なくされている疑いがあると認めるとき。

2　学校の設置者又はその設置する学校は、前項の規定による調査を行ったときは、当該調査に係るいじめを受けた児童等及びその保護者に対し、当該調査に係る重大事態の事実関係等その他の必要な情報を適切に提供するものとする。

3　第一項の規定により学校が調査を行う場合においては、当該学校の設置者は、同項の規定による調査及び前項の規定による情報の提供について必要な指導及び支援を行うものとする。

（国立大学に附属して設置される学校に係る対処）

第二十九条　国立大学法人（国立大学法人法（平成十五年法律第百十二号）第二条第一項に規定する国立大学法人をいう。以下この条において同じ。）が設置する国立大学に附属して設置される学校は、前条第一項各号に掲げる場合には、当該国立大学法人の学長を通じて、重大事態が発生した旨を、文部科学大臣に報告しなければならない。

2　前項の規定による報告を受けた文部科学大臣は、当該報告に係る重大事態への対処又は当該重大事態と同種の事態の発生の防止のため必要があると認めるときは、前条第一項の規定による調査の結果について調査を行うことができる。

3　文部科学大臣は、前項の規定による調査の結果を踏まえ、当該調査に係る国立大学法人又はその設置する国立大学に附属して設置される学校が当該調査に係る重大事態への対処又は当該重大事態と同種の事態の発生の防止のために必要な措置を講ずることができるよう、国立大学法人法第三十五条において準用する独立行政法人通則法（平成十一年法律第百三号）第六十四条第一項に規定する権限の適切な行使その他の必要な措置を講ずるものとする。

（公立の学校に係る対処）

第三十条　地方公共団体が設置する学校は、第二十八条第一項各号に掲げる場合には、当該地方公共団体の教育委員会を通じて、重大事態が発生した旨を、当該地方公共団体の長に報告しなければならない。

2　前項の規定による報告を受けた地方公共団体の長は、当該報告に係る重大事態への対処又は当該重大事態と同種の事態の発生の防止のため必要があると認めるときは、附属機関を設けて調査を行う等の方法により、第二十八条第一項の規定による調査の結果について調査を行うことができる。

3　地方公共団体の長は、前項の規定による調査を行ったときは、その結果を議会に報告しなければならない。

4　第二項の規定は、地方公共団体の長に対し、地方教育行政の組織及び運営に

関する法律（昭和三十一年法律第百六十二号）第二十一条に規定する事務を管理し、又は執行する権限を与えるものと解釈してはならない。

5　地方公共団体の長及び教育委員会は、第二項の規定による調査の結果を踏まえ、自らの権限及び責任において、当該調査に係る重大事態への対処又は当該重大事態と同種の事態の発生の防止のために必要な措置を講ずるものとする。

第三十条の二　第二十九条の規定は、公立大学法人（地方独立行政法人法（平成十五年法律第百十八号）第六十八条第一項に規定する公立大学法人をいう。）が設置する公立大学に附属して設置される学校について準用する。この場合において、第二十九条第一項中「文部科学大臣」とあるのは「当該公立大学法人を設立する地方公共団体の長（以下この条において単に「地方公共団体の長」という。）」と、同条第二項及び第三項中「文部科学大臣」とあるのは「地方公共団体の長」と、同項中「国立大学法人法第三十五条において準用する独立行政法人通則法（平成十一年法律第百三号）第六十四条第一項」とあるのは「地方独立行政法人法第百二十一条第一項」と読み替えるものとする。

（私立の学校に係る対処）
第三十一条　学校法人（私立学校法（昭和二十四年法律第二百七十号）第三条に規定する学校法人をいう。以下この条において同じ。）が設置する学校は、第二十八条第一項各号に掲げる場合には、重大事態が発生した旨を、当該学校を所

轄する都道府県知事（以下この条において単に「都道府県知事」という。）に報告しなければならない。

2　前項の規定による報告を受けた都道府県知事は、当該報告に係る重大事態への対処又は当該重大事態と同種の事態の発生の防止のため必要があると認めるときは、附属機関を設けて調査を行う等の方法により、第二十八条第一項の規定による調査の結果について調査を行うことができる。

3　都道府県知事は、前項の規定による調査の結果を踏まえ、当該調査に係る学校法人又はその設置する学校が当該調査に係る重大事態への対処又は当該重大事態と同種の事態の発生の防止のために必要な措置を講ずることができるよう、私立学校法第六条に規定する権限の適切な行使その他の必要な措置を講ずるものとする。

4　前二項の規定は、都道府県知事に対し、学校法人が設置する学校に対して行使することができる権限を新たに与えるものと解釈してはならない。

第三十二条　学校設置会社（構造改革特別区域法（平成十四年法律第百八十九号）第十二条第二項に規定する学校設置会社をいう。以下この条において同じ。）が設置する学校は、第二十八条第一項各号に掲げる場合には、当該学校設置会社の代表取締役又は代表執行役を通じて、重大事態が発生した旨を、同法第十二条第一項の規定による認定を受けた地方公共団体の長（以下「認定地方公共団体の長」という。）に報告しなければならない。

2　前項の規定による報告を受けた認定

地方公共団体の長は、当該報告に係る重大事態への対処又は当該重大事態と同種の事態の発生の防止のため必要があると認めるときは、附属機関を設けて調査を行う等の方法により、第二十八条第一項の規定による調査の結果について調査を行うことができる。

3　認定地方公共団体の長は、前項の規定による調査の結果を踏まえ、当該調査に係る学校設置会社又はその設置する学校が当該調査に係る重大事態への対処又は当該重大事態と同種の事態の発生の防止のために必要な措置を講ずることができるよう、構造改革特別区域法第十二条第十項に規定する権限の適切な行使その他の必要な措置を講ずるものとする。

4　前二項の規定は、認定地方公共団体の長に対し、学校設置会社が設置する学校に対して行使することができる権限を新たに与えるものと解釈してはならない。

5　第一項から前項までの規定は、学校設置非営利法人（構造改革特別区域法第十三条第二項に規定する学校設置非営利法人をいう。）が設置する学校について準用する。この場合において、第一項中「学校設置会社の代表取締役又は代表執行役」とあるのは「学校設置非営利法人の代表権を有する理事」と、「第十二条第一項」とあるのは「第十三条第一項」と、第二項中「前項」とあるのは「第五項において準用する前項」と、第三項中「前項」とあるのは「第五項において準用する前項」と、「学校設置会社」とあるのは「学校設置非営利法人」と、「第十二条第十項」とあるのは「第十三条第三項において準用する同法第十二条第十項」と、前項中「前二項」とあるのは「次項

において準用する前二項」と読み替えるものとする。

（文部科学大臣又は都道府県の教育委員会の指導、助言及び援助）
第三十三条　地方自治法（昭和二十二年法律第六十七号）第二百四十五条の四第一項の規定によるほか、文部科学大臣は都道府県又は市町村に対し、都道府県の教育委員会は市町村に対し、重大事態への対処に関する都道府県又は市町村の事務の適正な処理を図るため、必要な指導、助言又は援助を行うことができる。

第六章　雑則

（学校評価における留意事項）
第三十四条　学校の評価を行う場合においていじめの防止等のための対策を取り扱うに当たっては、いじめの事実が隠蔽されず、並びにいじめの実態の把握及びいじめに対する措置が適切に行われるよう、いじめの早期発見、いじめの再発を防止するための取組等について適正に評価が行われるようにしなければならない。

（高等専門学校における措置）
第三十五条　高等専門学校（学校教育法第一条に規定する高等専門学校をいう。以下この条において同じ。）の設置者及びその設置する高等専門学校は、当該高等専門学校の実情に応じ、当該高等専門学校に在籍する学生に係るいじめに相当する行為の防止、当該行為の早期発見及び当該行為への対処のための対策に関し必要な措置を講ずるよう努めるものとする。

佐藤香代（さとう かよ）　2004年弁護士登録。法律事務所たいとう代表弁護士。養護教諭を母にもち、学校問題に関心を抱く。2012年に日本社会事業大学（専門職大学院）に進学し、福祉の視点を学ぶ。共著に『Q&A学校事故対策マニュアル』（明石書店、2005年）、『Q&A子どものいじめ対策マニュアル』（同、2007年）、『弁護士と精神科医が答える　学校トラブル解決Q&A』（子どもの未来社、2021年）、『週刊教育資料』にコラム「教育法律相談」執筆中。

三坂彰彦（みさか あきひこ）　1991年弁護士登録。東京弁護士会所属。現在、吉祥寺市民法律事務所勤務。登録年より東京弁護士会・子どもの人権と少年法に関する特別委員会にて「子どもの人権救済センター」の活動に携わる。編著書に『Q&A子どものいじめ対策マニュアル』（明石書店）、『子どもをめぐる法律相談』（新日本法規出版）、共著に『いじめと向き合う』（旬報社）、『弁護士と精神科医が答える　学校トラブル解決Q&A』（子どもの未来社）等。

加藤昌子（かとう まさこ）　フリーランス通訳・翻訳家を経て2012年弁護士登録。南北法律事務所。東京弁護士会・子どもの人権と少年法に関する特別委員会委員。児童福祉から学校問題まで幅広く関心をもち、紛争解決のみならず、子どもたちへのいじめ予防授業や保護者向け講演等、予防啓発活動にも取り組む。共著に『子どもの虐待防止・法的実務マニュアル第6版』（明石書店、2017年）、『弁護士と精神科医が答える　学校トラブル解決Q&A』（子どもの未来社、2021年）等。

イラスト／まえだたつひこ（前田達彦）　イラストレーター、ガムラン奏者。著書に『達人になろう！お金をかしこく使うワザ』（エリック・ブラウン他著　まえだたつひこ絵　子どもの未来社）、『ワニブタ　子どもの権利絵本① がまんしている　でも　やめない』『同② あなたがうまれたとき』『同③ あなたはそだつ』（おおやとしろう文　まえだたつひこ絵　Art31）、「国連こどもの権利条約第31条カレンダー」イラスト・編集を担当。中田音楽にパーカッションで参加。

装丁・本文デザイン／稲垣結子（ヒロ工房）
編集／堀切リエ

いじめ防止法 こどもガイドブック

2023年 8 月20日　第 1 刷発行
2025年 5 月17日　第 3 刷発行

著者　　佐藤香代、三坂彰彦、加藤昌子

発行者　奥川 隆

発行所　**子どもの未来社**
　　　　〒101-0052
　　　　東京都千代田区神田小川町3-28-7-602
　　　　TEL 03-3830-0027　FAX 03-3830-0028
　　　　E-mail : co-mirai@f8.dion.ne.jp　http://comirai.shop12.makeshop.jp/

振　替　00150-1-553485

印所・製本　シナノ印刷株式会社

©2023　Sato Kayo, Misaka Akihiko, Kato Masako Printed in Japan
ISBN987-4-86412-240-5
C8032　NDC370　144頁　21㎝×14.8㎝

＊乱丁・落丁の際はお取り替えいたします。
＊本書の全部または一部の無断での複写（コピー）・複製・転訳載および磁気または光記録媒体への入力等を禁じます。
　複写を希望される場合は、小社著作権管理部にご連絡ください。